TEMAT
NA PIERWSZĄ STRONĘ

UMBERTO ECO

TEMAT NA PIERWSZĄ STRONĘ

Przełożył
Krzysztof Żaboklicki

NOIR SUR BLANC

Tytuł oryginału
Numero Zero

Copyright © Bompiani / RCS Libri S.p.A. – Milan, 2015

For the Polish edition
Copyright © 2015, Noir sur Blanc, Warszawa

ISBN 978-83-7392-532-8

Anicie

Only connect!
E.M. FORSTER

I

SOBOTA, 6 CZERWCA 1992, GODZINA 8

Dziś rano z kranu nie popłynęła woda.

Bek, bek — dwa beknięcia noworodka, potem już nic. Zapukałem do sąsiadki. U nich w mieszkaniu wszystko w porządku. Pewnie zakręcił pan główne pokrętło, powiedziała. Ja? Przecież nie wiem nawet, gdzie ono się znajduje, mieszkam tu od niedawna i wracam do domu dopiero wieczorem. No dobrze, a kiedy wyjeżdża pan na tydzień, to nie wyłącza pan wody i gazu? Nie. To wielka nieostrożność; proszę mnie wpuścić, pokażę panu.

Otworzyła szafkę pod umywalką, coś tam zrobiła i woda popłynęła znowu. Widzi pan? Było zakręcone. Przepraszam panią, jestem taki roztargniony. Ach, wy single! Sąsiadka wyszła; już i ona mówi po angielsku.

Tylko bez nerwów. Złośliwe duszki istnieją jedynie w filmach, ja zaś nie jestem lunatykiem. A nawet gdybym był, nie wiedziałbym o tym pokrętle, w przeciwnym bowiem razie posłużyłbym się nim na jawie, ponieważ z prysznica cieknie; ryzykuję zawsze, że przez całą noc nie zmrużę oka, nasłuchując spadającej kropli, choć nie przebywam w dżdżystej Valldemossie. Budzę się w istocie często, wstaję i idę zamknąć drzwi do łazienki oraz między sypialnią a przedpokojem, żeby nie słyszeć tego przeklętego kapania.

Nie wchodzi w rachubę... czy ja wiem... krótkie spięcie (pokrętłem trzeba kręcić, wskazuje na to sama jego nazwa) ani

9

mysz, bo nawet gdyby tam się dostała, nie miałaby dość siły, żeby wprawić urządzenie w ruch. To żelazne, staromodne koło (w tym mieszkaniu wszystko ma co najmniej pięćdziesiąt lat), na dodatek zardzewiałe. Trzeba więc było ręki — ręki istoty człowiekopodobnej. A u mnie brak jest kominka, przez który mogłaby się przedostać wielka małpa z rue Morgue*.

Zastanówmy się. Nie ma skutku bez przyczyny — tak przynajmniej mówią. Wykluczmy cud, bo nie pojmuję, dlaczego Boga miałby interesować mój prysznic, przecież to nie Morze Czerwone. Naturalny skutek musiał mieć zatem naturalną przyczynę. Wczoraj wieczorem przed pójściem do łóżka wziąłem lekki środek nasenny, popiłem szklanką wody. Zatem wtedy woda jeszcze była, rano zaś już nie. A więc, drogi Watsonie, pokrętło zakręcono w nocy i nie zrobiłem tego ja. Ktoś — sam lub w towarzystwie — był w moim mieszkaniu i obawiał się, że obudzi mnie nie tyle hałas robiony przez niego lub przez nich (poruszali się bezszelestnie), ile właśnie to kapanie, które dokuczało nawet im; dziwili się pewno, że w ogóle mogę spać. Jako ludzie bardzo sprytni postąpili tak, jak postąpiłaby także moja sąsiadka — odcięli dopływ wody.

A dalej? Książki rozłożone są jak zwykle w nieładzie; tajni agenci z połowy krajów świata mogliby je przejrzeć strona po stronie, niczego bym nie zauważył. Różnych szuflad i szafy w przedpokoju nie warto nawet otwierać. Jeśli czegoś szukali, to w dzisiejszych czasach musieli zrobić tylko jedno — pogrzebać w komputerze. Może w pośpiechu skopiowali wszystko i poszli sobie do domu. No i dopiero teraz, czytając po kolei dokumenty, stwierdzają, że w komputerze nie ma niczego, co mogłoby ich zainteresować.

Co chcieli znaleźć? Jest oczywiste — to znaczy nie widzę innego wytłumaczenia — że szukali czegoś, co dotyczy gazety. Nie

---

*Aluzja do opowiadania E.A. Poego *Zabójstwo przy rue Morgue* (wszystkie przypisy tłumacza).

są głupi: myśleli pewno, że porobiłem notatki o wszystkim, nad czym w redakcji pracujemy, więc jeżeli wiem coś o sprawie Braggadocia, to musiałem gdzieś to zapisać. Obecnie domyślili się prawdy — mam wszystko na dyskietce. Rzecz jasna, w nocy odwiedzili także biuro, ale moich dyskietek tam nie znaleźli. Dochodzą więc do wniosku (ale dopiero teraz), że dyskietkę trzymam pewno w kieszeni. Ale z nas durnie, chyba sobie mówią, trzeba było szukać po kieszeniach. Durnie? Gnojki. Gdyby mieli trochę oleju w głowie, nie wybraliby sobie tak obrzydliwego zajęcia.

Teraz spróbują znowu, dotrą przynajmniej do „skradzionego listu"*, dopadną mnie na ulicy, udając kieszonkowców. Muszę więc się pośpieszyć, uprzedzić ich, wysłać dyskietkę na poste restante, potem podjąć ją we właściwym czasie. Co za głupstwa przychodzą mi do głowy! Jest już jeden trup, a Simei zwiał. Oni nie potrzebują nawet wiedzieć, czy ja wiem i co. Wykończą mnie z czystej ostrożności, i tyle. Nie mogę też ogłosić w prasie, że o całej sprawie nic mi nie wiadomo, bo tym samym dałbym do zrozumienia, że o niej wiem.

Jak ja w to wszystko się wplątałem? Sądzę, że winę ponoszą profesor Di Samis i moja znajomość niemieckiego.

Dlaczego przypominam sobie Di Samisa, historię sprzed trzydziestu lat? Otóż zawsze myślałem, że to przez niego nie ukończyłem studiów i że dlatego właśnie w to wszystko się wplątałem. Zresztą Anna rzuciła mnie po dwóch latach małżeństwa, ponieważ stwierdziła — cytuję jej własne słowa — że jestem nieudacznikiem życiowym z musu; kto wie, co jej przedtem o sobie opowiedziałem, żeby dobrze wypaść.

Studiów nigdy nie ukończyłem, bo znałem niemiecki. Moja pochodząca z regionu Górna Adyga babka rozmawiała ze mną od

---

*Aluzja do opowiadania E.A. Poego pod takim właśnie tytułem.

11

małego w tym języku. Wstąpiwszy na uniwersytet, od razu na pierwszym roku zgodziłem się tłumaczyć książki z niemieckiego, żeby zarabiać na życie. W tamtych czasach, znając niemiecki, miało się już zawód. Można było czytać i tłumaczyć książki, których inni nie rozumieli (uważano je zaś wtedy za cenne), i zarabiało się lepiej, niż tłumacząc z francuskiego, a nawet z angielskiego. Sądzę, że dzisiaj w podobnej sytuacji są ludzie znający chiński lub rosyjski. W każdym razie musiałem wybierać: albo tłumaczę z niemieckiego, albo kończę studia. Obu rzeczy naraz robić nie mogłem. Tłumaczyć znaczyło siedzieć w domu, w cieple lub w przyjemnym chłodzie, pracować w miękkich pantoflach, a przede wszystkim przyswajać sobie masę wiadomości. Po co więc było uczęszczać na uniwersyteckie wykłady?

Z lenistwa postanowiłem zapisać się na germanistykę. Studiować będę musiał niewiele, pomyślałem, przecież i tak wszystko już wiem. Luminarzem był wówczas profesor Di Samis, który w zaniedbanym barokowym pałacu uwił sobie to, co studenci nazywali jego orlim gniazdem. Wchodziło się tam po monumentalnych schodach do obszernego westybulu; z jednej strony drzwi prowadziły do instytutu Di Samisa, z drugiej znajdowało się auditorium maximum, jak je pompatycznie nazywał, to jest sala na mniej więcej pięćdziesiąt osób.

Do instytutu wolno było wejść wyłącznie po włożeniu kapci. Leżały przy drzwiach, w ilości wystarczającej dla asystentów i dwóch lub trzech studiujących. Ci, dla których ich zabrakło, stali w kolejce na zewnątrz. Wszystko było wywoskowane — chyba nawet książki na półkach ciągnących się wzdłuż ścian. Także twarze bardzo starych już asystentów, którzy od niepamiętnych czasów wyczekiwali profesorskich nominacji.

Sala miała ogromnie wysoki sufit i gotyckie okna (nigdy nie udało mi się zrozumieć, dlaczego akurat takie w barokowym pałacu) z zielonymi szybami. O właściwej porze, to znaczy czternaście minut po określonej godzinie, profesor Di Samis wychodził z instytutu. W odległości jednego metra za nim szedł starszy asystent, a w odległości dwóch metrów — asystenci młodsi, poniżej pięćdziesiątki. Asystent starszy niósł książki, młodzież dźwigała magnetofon; pod koniec lat pięćdziesiątych magnetofony były jeszcze olbrzymie, wyglądały jak rolls-royce'y.

Dziesięć metrów dzielących instytut od sali Di Samis przemierzał tak, jakby było ich dwadzieścia. Nie szedł po linii prostej, lecz po krzywej — nie pamiętam już, czy była to parabola, czy elipsa — powtarzając głośno: „Idziemy, idziemy!". Wchodził wreszcie do sali i zasiadał na swego rodzaju rzeźbionym podium. Oczekiwaliśmy, że rozpocznie słowami: „Imię moje: Izmael"*.

Wpadające przez szyby zielone światło nadawało jego złośliwie uśmiechniętej twarzy trupi wygląd; asystenci wprawiali w ruch magnetofon. Potem zaczynał: „Wbrew temu, co oświadczył niedawno mój uczony kolega, profesor Bocardo..." — i tak dalej przez dwie godziny.

Owo zielone światło sprawiało, że ogarniała mnie nieprzeparta senność, widoczna także w oczach asystentów. Wiedziałem, że cierpią. Po dwóch godzinach my, studenci, z ulgą opuszczaliśmy salę, profesor Di Samis zaś nakazywał przewinąć taśmę, schodził z podium i siadał demokratycznie w pierwszym rzędzie obok asystentów. Razem ponownie słuchali dwugodzinnego wykładu, a profesor kiwaniem głowy wyrażał zadowolenie z każdego fragmentu, który wydawał mu się szczególnie istotny. Zauważmy, że wykłady dotyczyły niemieckiego przekładu Biblii dokonanego przez Lutra. Prawdziwa rozkosz, mówili moi koledzy, patrząc po sobie bezsilnie.

Na uniwersytecie pokazywałem się bardzo rzadko, a pod koniec drugiego roku spróbowałem zaproponować profesorowi jako temat pracy magisterskiej ironię u Heinego (uznałem, że

---

*Nawiązanie do pierwszych słów powieści Hermana Melville'a *Moby Dick*, w przekładzie Bronisława Zielińskiego.

znajduję pocieszenie w słusznym moim zdaniem cynizmie, z jakim podchodzi on do nieszczęśliwej miłości; przygotowywałem się wtedy do własnych miłosnych przeżyć). „Ach, wy młodzi, wy młodzi — odpowiedział mi zmartwiony Di Samis — chcecie od razu rzucać się na współczesnych..."

Wskutek swego rodzaju objawienia pojąłem, że z magisterium u Di Samisa nici. Pomyślałem wtedy o profesorze Ferio. Był młodszy, cieszył się opinią nadzwyczaj inteligentnego, zajmował się epoką romantyzmu z przyległościami. Starsi koledzy ostrzegli mnie jednak, że moją pracę magisterską oprócz promotora oceniać będzie w każdym razie Di Samis; nie powinienem więc zwracać się do profesora Ferio oficjalnie, bo tamten natychmiast się o tym dowie i na zawsze mnie znienawidzi. Powinienem pójść drogą okrężną, zrobić tak, jak gdyby to Ferio sam zaproponował mi pisanie pracy u siebie; wtedy Di Samis będzie miał pretensję nie do mnie, ale do niego. Di Samis nie znosił go z tej prostej przyczyny, że Ferio właśnie dzięki niemu awansował na profesora. Na uniwersytetach (wtedy, choć myślę, że i obecnie) działo się całkiem inaczej niż w normalnym świecie: to nie synowie nienawidzili ojców, lecz ojcowie synów.

Myślałem, że uda mi się zbliżyć do Feria w sposób niemal przypadkowy podczas jednego z odczytów, które Di Samis organizował co miesiąc w swoim auditorium maximum. Przychodziło na nie wielu jego kolegów, ponieważ wykładowcami zawsze byli sławni uczeni.

Te imprezy przebiegały jednak następująco. Bezpośrednio po odczycie odbywała się dyskusja z udziałem samych profesorów, a potem wszyscy wychodzili, bo mówca był zapraszany do najlepszej w okolicy restauracji Żółw, utrzymanej w stylu połowy XIX wieku, z kelnerami nadal we frakach. Aby z orlego gniazda dotrzeć do tej restauracji, należało przemierzyć szeroką ulicę z podcieniami i plac o historycznym znaczeniu, skręcić za róg monumentalnego pałacu i przejść wreszcie przez jeszcze jeden niewielki placyk. Podcieniami mówca szedł w otoczeniu profesorów zwyczajnych, metr za nimi szli profesorowie nadzwyczajni, dwa metry dalej asystenci i wreszcie, w rozsądnej odległości, najodważniejsi ze studentów. Ci ostatni żegnali się na historycznym placu, na rogu monumentalnego pałacu czynili to asystenci, profesorowie nadzwyczajni przechodzili przez placyk i żegnali się na progu restauracji, do której wchodzili jedynie gość i profesorowie zwyczajni.

I tak profesor Ferio nie dowiedział się nigdy o moim istnieniu. Tymczasem ja straciłem przekonanie do uczelni, nie uczęszczałem już zupełnie na wykłady. Tłumaczyłem jak automat. Trzeba brać to, co ci dają, więc przekładałem poetyckim językiem trzytomowe dzieło o roli Friedricha Lista w powstaniu *Zollverein*, Niemieckiej Unii Celnej. Można zrozumieć, dlaczego przestałem w końcu tłumaczyć z niemieckiego. Na podjęcie przerwanych studiów było już jednak za późno.

Kłopot w tym, że z myślą o definitywnej rezygnacji trudno się pogodzić. Żyjesz dalej, wierząc, że prędzej czy później zdasz wszystkie egzaminy i obronisz pracę, a żyjąc w wierze w urzeczywistnienie płonnych nadziei, jesteś już nieuchronnie przegrany. Kiedy to później pojmujesz, przestajesz się czymkolwiek przejmować.

Początkowo znalazłem zatrudnienie jako opiekun niemieckiego chłopca, zbyt głupiego na to, aby go posłać do szkoły. Mieszkaliśmy w Engadynie: doskonały klimat, dające się znieść odosobnienie. Wytrzymałem rok, płacono mi dobrze. Potem matka chłopca przyparła mnie pewnego dnia do ściany w korytarzu, dając do zrozumienia, że chętnie mi ulegnie. Miała wystające zęby i lekki zarys wąsów; wytłumaczyłem jej uprzejmie, że nie jestem zainteresowany. Po trzech dniach zostałem zwolniony, ponieważ chłopak nie robił postępów.

Wiązałem później koniec z końcem za pomocą pióra. Chciałem pisać do prasy, ale tylko kilka lokalnych gazet było skłonnych przyjmować moje artykuliki z zakresu krytyki teatralnej —

omówienia spektakli zespołów objazdowych, które występowały na prowincji. Recenzowałem też za śmiesznie niskie honoraria programy rozrywkowe poprzedzające przedstawienia, co pozwalało mi podglądać za kulisami tancerki w marynarskich mundurkach i fascynować się widocznymi na ich nogach objawami cellulitu. Chodziłem z tymi pannami do barów mlecznych na kolacje złożone z filiżanki kawy z mlekiem albo — kiedy nie były całkiem bez pieniędzy — z jajka smażonego na maśle. Doświadczyłem wtedy swoich pierwszych przeżyć seksualnych z pewną śpiewaczką w zamian za pobłażliwą o niej wzmiankę w dzienniku z Saluzzo — więcej sobie nie zażyczyła.

Nie miałem stałej siedziby, mieszkałem w różnych miastach (do Mediolanu przybyłem dopiero wezwany przez Simeiego), robiłem korekty w trzech przynajmniej wydawnictwach (uniwersyteckich, nigdy u sławnych wydawców), dla jednego przeglądałem hasła w encyklopedii (trzeba było sprawdzać daty, tytuły dzieł itd.). Dzięki tym wszystkim zajęciom nabyłem tego, co Paolo Villaggio* nazwał kiedyś kulturą monstrualną. Przegrani, podobnie jak samoucy, wiedzą zawsze więcej od ludzi sukcesu, bo żeby odnieść sukces, musisz wiedzieć jedno, nie tracić czasu na poznawanie wszystkiego. Satysfakcja płynąca z erudycji zastrzeżona jest dla przegranych. Im więcej ktoś wie, tym bardziej nie powiodło mu się w życiu.

Kilka lat poświęciłem na lekturę rękopisów, które przekazywali mi wydawcy (niekiedy także ci ważni), ponieważ składanych tekstów nikomu nie chciało się u nich czytać. Płacili pięć tysięcy lirów za rękopis. Spędzałem całe dnie wyciągnięty na łóżku, czytając jak opętany. Potem, aby zniszczyć nieostrożnego autora, redagowałem dwustronicową opinię pełną sarkazmu najwyższej próby. W wydawnictwie wszyscy oddychali z ulgą. Pisali do lekkomyślnego, że im przykro, ale muszą odmówić, i na tym koniec. Czyta-

---

* Współczesny włoski komik i pisarz.

nie rękopisów, które nigdy nie zostaną opublikowane, może okazać się zawodem.

Tymczasem miałem epizod z Anną, który skończył się tak, jak musiał. Odtąd nie mogłem już (albo uparcie nie chciałem) myśleć z zainteresowaniem o kobiecie, z obawy, że znowu mi się nie uda. Do seksu podchodziłem w sposób terapeutyczny: przypadkowe przygody wykluczające ryzyko, że się zakocham, jedna wspólna noc i dosyć, dziękuję, przyjemnie było, ponadto od czasu do czasu stosunek płatny, żeby zapobiec udręce pożądania (tancerki sprawiły, że stałem się obojętny wobec cellulitu).

Marzyłem o tym, o czym marzą wszyscy przegrani: napiszę kiedyś książkę, która przyniesie mi sławę i bogactwo. Chciałem się nauczyć, jak zostać wielkim pisarzem, i zatrudniłem się nawet jako murzyn (albo ghost writer, jak mówi się dzisiaj ze względu na polityczną poprawność) u autora powieści kryminalnych, który z kolei — żeby dobrze się sprzedawać — używał amerykańskiego nazwiska na wzór aktorów ze spaghetti westernów. Pięknie było pracować w cieniu, za dwiema kurtynami (za Innym i innym nazwiskiem Innego).

Pisanie czyjegoś kryminału było łatwe, wystarczało naśladować styl Chandlera, a w ostateczności Spillane'a. Próbując jednak spłodzić coś własnego, stwierdzałem, że aby opisać kogoś lub coś, sięgam do literatury. Nie byłem zdolny powiedzieć, że ktoś spaceruje w bezchmurne, jasne popołudnie; mówiłem, że spaceruje „pod niebem Canaletta". Uświadomiłem sobie później, że robił tak również D'Annunzio. Aby oznajmić, że niejaka Costanza Landbrook ma pewne zalety, pisał, że wydaje się ona istotą stworzoną przez Thomasa Lawrence'a; w przypadku Eleny Muti zauważał, że jej rysy przypominają niektóre profile pędzla młodego Moreau, a w związku z Andreą Sperellim — że przywodzi na myśl portret nieznanego szlachcica z Galerii Borghese. I tak, żeby napisać powieść, powinno się chodzić do kiosku i przeglądać sprzedawane tam zeszyty z reprodukcjami dzieł sztuki.

D'Annunzio był złym pisarzem, ale to nie znaczy, że miałem nim być także ja. Starając się uwolnić od nałogu cytowania, postanowiłem przestać pisać.

No tak, moje życie trudno nazwać wspaniałym. Stuknęła mi już pięćdziesiątka, kiedy otrzymałem zaproszenie od Simeiego. Dlaczego nie? Warto było i tego spróbować.

Co teraz zrobię? Wychylając nos z domu, ryzykuję. Najlepiej siedzieć tutaj, oni mogą być w pobliżu i czekać, aż wyjdę. A ja nie wyjdę. W kuchni jest kilka pudełek krakersów i konserwa mięsna. Z wczorajszego wieczoru zostało mi pół butelki whisky. Przyda się, żeby spędzić tu dzień lub dwa. Nalewam sobie dwie krople (potem może jeszcze dwie, ale po południu, bo od picia rano człowiek głupieje) i staram się odtworzyć tę historię od samego początku. Nie potrzebuję nawet sięgać po dyskietkę, bo aż do dziś wszystko dokładnie pamiętam.

Strach przed śmiercią ożywia wspomnienia.

II

PONIEDZIAŁEK, 6 KWIETNIA 1992

Simei miał twarz kogoś innego. Nie zapamiętuję nigdy nazwisk pospolitych jak Rossi, Brambilla czy Colombo, a nawet takich jak Mazzini lub Manzoni, ponieważ noszący je ludzie nazywają się tak jak ktoś inny. Pamiętam tylko, że mają nazwisko kogoś innego. Otóż twarzy Simeiego nie sposób było zapamiętać, ponieważ wydawała się twarzą kogoś, kto nim nie jest. Miał on w istocie twarz każdego.

— Książka? — spytałem go.

— Książka. Wspomnienia dziennikarza, opowieść o roku prac przygotowawczych nad dziennikiem, który nigdy się nie ukaże. Jego tytuł miałby brzmieć „Jutro", można by go uznać za motto naszych rządów, w których ciągle słychać: pomówimy o tym jutro. Więc książka powinna być zatytułowana *Jutro: wczoraj*. Dobry pomysł, prawda?

— I chce pan, żebym ja ją napisał? A dlaczego nie pan? Jest pan przecież dziennikarzem, w każdym razie ma pan redagować gazetę…

— Nie powiedziano, że redaktor naczelny musi umieć pisać. Nie powiedziano, że minister obrony musi umieć rzucać granatem. Oczywiście przez cały najbliższy rok będziemy omawiać książkę dzień po dniu. Pan zajmie się stylem, doda ziarnka pieprzu, ale ogólne zarysy określać będę ja.

— Chce pan powiedzieć, że autorami będziemy obaj, czy ma to być wywiad, którego Simei udziela Colonnie?

19

— Ależ nie, drogi panie Colonna, autorem książki będę ja, pan po napisaniu będzie musiał zniknąć. Będzie pan... proszę się nie obrażać... *nègre*, murzynem. Miał takich Dumas, mogę mieć i ja.

— A dlaczego wybrał pan właśnie mnie?

— Bo ma pan talent pisarski...

— Dziękuję.

— ...ale nikt tego nigdy nie dostrzegł.

— Dziękuję raz jeszcze.

— Proszę mi wybaczyć. Dotąd pisywał pan tylko do prowincjonalnych gazet, wykonywał podrzędne prace w kilku wydawnictwach, napisał powieść dla kogoś innego... mniejsza o to, jak do mnie trafiła, ale jest niezła, ma rytm. W wieku pięćdziesięciu lat przybiegł pan do mnie na wiadomość, że być może miałbym dla pana zajęcie. Co znaczy, że umie pan pisać, że wie pan, czym jest książka, ale źle się panu wiedzie. Niech pan się nie wstydzi. Ja także, naczelny dziennika, który się nie ukaże, nigdy nie kandydowałem do Nagrody Pulitzera, redagowałem jedynie tygodnik sportowy i miesięcznik tylko dla mężczyzn albo dla mężczyzn tylko, jak pan woli...

— Mógłbym unieść się honorem i odmówić...

— Nie zrobi pan tego, bo oferuję panu sześć milionów lirów miesięcznie przez rok, na czysto.

— To dużo dla kiepskiego pisarza. A potem?

— Potem, przy przekazywaniu mi książki... powiedzmy w pół roku od zakończenia naszego eksperymentu... jeszcze dziesięć milionów do ręki, gotówką. To już z mojej kieszeni.

— A potem?

— Pański interes. Jeśli nie wyda pan wszystkiego na kobiety i szampana ani nie przegra na wyścigach, zarobi pan przez półtora roku ponad osiemdziesiąt milionów wolnych od podatku. Będzie pan mógł wtedy spokojnie dalej się porozglądać.

— Nie rozumiem dokładnie. Jeśli mnie daje pan sześć milionów, to kto wie, ile sam pan bierze... proszę mi wybaczyć. Są też chyba inni redaktorzy, wydatki związane z produkcją, drukiem i dystrybucją. I mówi pan, że jest ktoś... wydawca, jak przypuszczam... kto będzie finansował przez rok ten eksperyment, który nic mu nie przyniesie?

— Nie powiedziałem, że nic mu nie przyniesie. On wyjdzie na swoje, ale ja nie, jeśli gazeta nigdy się nie ukaże. Naturalnie nie mogę wykluczyć, że wydawca ostatecznie zmieni zdanie i postanowi dziennik publikować, ale wtedy będzie to już inna, duża sprawa i nie wiem, czy zechce, żebym ja się nią zajmował. Przygotowuję się więc do sytuacji, w której wydawca po roku zdecyduje, że eksperyment wydał oczekiwane owoce i na tym koniec. A przygotowuję się następująco: jeśli na tym koniec, wydam książkę. Będzie to bomba, zarobię jako autor. Albo, co mało prawdopodobne, ktoś zapragnie nie dopuścić do publikacji i wypłaci mi pewną sumę, oczywiście wolną od podatku.

— Zrozumiałem. Skoro jednak chce pan mieć we mnie lojalnego współpracownika, to czy mógłby mi pan powiedzieć, dlaczego zaistniał projekt „Jutro" i kto go finansuje, czemu prawdopodobnie się nie uda i co pan powie w książce, którą ja, nie chwaląc się, mam napisać.

— Finansuje prezes Vimercate. Pewno pan o nim słyszał...

— Słyszałem, od czasu do czasu jego nazwisko trafia do gazet. Zarządza dziesiątkami hoteli na wybrzeżu adriatyckim i wieloma domami opieki dla emerytów i inwalidów. Prowadzi różne interesy, o których dużo się szepce. Posiada kilka lokalnych stacji telewizyjnych, które zaczynają nadawać o jedenastej wieczorem, a w programie mają wyłącznie licytacje, sprzedaże i występy rozbierających się pań...

— Wydaje też około dwudziestu czasopism.

— Chyba nędzne pisemka z plotkami o gwiazdach filmowych jak „Oni" czy „Peeping Tom" i tygodniki śledcze w rodzaju „Zbrodni Ilustrowanej" albo „Co się za tym kryje". Same śmieci, trash.

— Nie, wydaje również czasopisma specjalistyczne o ogrodnictwie, podróżach, samochodach, jachtach, „Lekarza Domowego". To potęga. Ładne mam biuro, prawda? Jest nawet fikus jak u wielkich dyrektorów Włoskiego Radia i Telewizji. Mamy też do dyspozycji open space, jak mówią w Ameryce, dla redaktorów, dla pana gabinecik niewielki, ale przyzwoity, pokój na archiwum. Wszystko za darmo, w tym gmachu, gdzie mieści się administracja ogółu przedsiębiorstw Prezesa. Co się tyczy reszty: do produkcji i druku numerów zerowych wykorzysta się bazę techniczną innych czasopism, obniży to koszt eksperymentu do rozsądnych granic. Do tego siedzibę mamy właściwie w śródmieściu, nie tam, gdzie redakcje wielkich dzienników, do których jedzie się teraz dwiema liniami metra, a potem jeszcze autobusem.

— Czego jednak Prezes spodziewa się po tym eksperymencie?

— Prezes chce wejść na salony finansjery, banków, może i wielkich gazet. Narzędziem jest zapowiedź nowego dziennika, gotowego mówić prawdę o wszystkim. Dwanaście numerów zerowych… powiedzmy 0/1, 0/2 i tak dalej… wydrukowanych w niewielkiej liczbie zastrzeżonych egzemplarzy, które Prezes oceni, a potem postara się, żeby przeczytały je pewne znane mu osoby. Kiedy dowiedzie, że potrafi sprawić kłopot kręgom zwanym salonami finansjery i polityki, te poproszą go zapewne, żeby ze swojego pomysłu zrezygnował. Wtedy on rezygnuje z „Jutra" i zostaje przyjęty na salony. Powiedzmy, że będzie mógł nabyć tylko dwa procent akcji wielkiego dziennika, banku, ważnej sieci telewizyjnej.

Gwizdnąłem.

— Dwa procent to bardzo dużo! Ma dość pieniędzy na coś takiego?

— Niech pan nie będzie naiwny. Mówimy o finansach, nie o handlu. Najpierw kupujesz, a pieniądze na zapłatę się znajdą.

— Rozumiem. Rozumiem też jeszcze jedno: eksperyment uda się jedynie pod warunkiem, że Prezes przemilczy, iż gazeta w końcu się nie ukaże. Wszyscy muszą myśleć, że jego maszyny rotacyjne, chciałoby się rzec, parskają z niecierpliwości.

— Oczywiście. Nawet mnie Prezes nie powiedział, że dziennik się nie ukaże. Ja tylko tak przypuszczam, a raczej jestem pewien. Nie mogą tego wiedzieć nasi współpracownicy, z którymi jutro się spotkamy. Mają pracować w przekonaniu, że budują swoją przyszłość. O sprawie wiemy tylko ja i pan.

— Ale co panu przyjdzie z tego, że opisze pan później rok przygotowań do szantażu ze strony Prezesa?

— Proszę nie używać słowa „szantaż". My opublikujemy, jak to formułuje „New York Times", *all the news that's fit to print*, wszystkie wiadomości, które nadają się do druku…

— …i może kilka ponadto…

— Widzę, że mnie pan rozumie. Prezes posłuży się potem naszymi numerami zero, żeby kogoś nastraszyć, albo podetrzeć sobie nimi tyłek… jego sprawa, nie nasza. Rzecz w tym, że moja książka nie będzie dotyczyć decyzji podejmowanych przez nas na kolegium redakcyjnym; nie potrzebowałbym wtedy pana, wystarczyłby magnetofon. Książka powinna przedstawić inną gazetę, dowieść, że przez rok usiłowałem urzeczywistnić model dziennikarstwa uniezależnionego od wszelkich nacisków, dać do zrozumienia, że przygoda źle się skończyła, ponieważ przemówienie wolnym głosem okazało się niemożliwe. Do tego potrzebuję pana, ma pan zmyślać, upiększać, napisać epopeję. Czy to jasne?

— Książka będzie przeciwieństwem tego, co działo się w rzeczywistości. Doskonale. Zaprzeczą panu jednak.

— Kto? Prezes musiałby powiedzieć: nieprawda, ten projekt miał na celu tylko wymuszenie. Wygodniej będzie mu sugerować, że musiał ustąpić, bo jego też poddano naciskom, że zabił gazetę, gdyż inaczej stałaby się ona, jak to się mówi, głosem zdalnie sterowanym. Zaprzeczą nam nasi redaktorzy, których przedstawimy w książce jako dziennikarzy nieskazitelnie uczciwych? Moja książka będzie betsellerem — tak właśnie wymawiał, podobnie jak wszyscy — nikt nie zechce i nie zdoła jej się przeciwstawić.

— Zgoda. Zawieram z panem umowę, jako że obaj... proszę wybaczyć tę reminiscencję... jesteśmy ludźmi bez właściwości.

— Lubię mieć do czynienia z osobami lojalnymi, które mówią, co im leży na sercu.

III

WTOREK, 7 KWIETNIA

Pierwsze spotkanie z redaktorami. Jest ich sześcioro, chyba wystarczy.

Simei uprzedził mnie, że nie powinienem chodzić po mieście, przeprowadzając fikcyjne wywiady, lecz być przez cały czas w redakcji i zapisywać różne wydarzenia. Żeby usprawiedliwić moją obecność, oświadczył na samym początku:

— Panowie, poznajmy się. Oto pan magister Colonna, dziennikarz z wielkim doświadczeniem. Będzie pracował u mojego boku, nazwiemy go zatem asystentem naczelnego. Jego podstawowym zadaniem będzie lektura wszystkich waszych artykułów. Macie za sobą różną przeszłość, jeden pracował w organie skrajnej lewicy, drugi, powiedzmy, w „Głosie Rynsztoku", a ponieważ, jak sami widzicie, jest nas tutaj po spartańsku niewielu, może się zdarzyć, że temu, kto pisywał nekrologi, przyjdzie napisać wstępniak o kryzysie rządowym. Trzeba więc będzie ujednolicać styl. Jeżeli zatem ktoś okaże słabość i użyje słowa „palingeneza", pan Colonna powie mu, że to nie tak, i zasugeruje inne określenie.

— „Głębokie odrodzenie moralne" — odezwałem się.

— Właśnie. A jeśli ktoś, mając na myśli dramatyczną sytuację, napisze, że jesteśmy w oku cyklonu, sądzę, że pan magister Colonna uświadomi mu rozsądnie, iż według wszelkich naukowych podręczników oko cyklonu jest jedynym miejscem, gdzie panuje cisza, cyklon zaś szaleje wszędzie wokół.

— Nie, panie redaktorze Simei — zareagowałem — powiem wtedy, że trzeba właśnie użyć terminu „oko cyklonu", bo zdanie nauki się nie liczy, czytelnik go nie zna, a słysząc „w oku cyklonu", ma wrażenie, że odnosi się to do jego sytuacji, jeśli jest w kłopotach. Tak go przyzwyczaiły prasa i telewizja. Podobnie jak przekonały go, że mówi się *siuspens* z akcentem na „u" i *menedżment* z akcentem na drugim „e", chociaż powinno się mówić *saspens*... pisane *suspense*, nie *suspence*... z akcentem na „e" i *manadżment* z akcentem na pierwszym „a".

— Doskonale, panie Colonna, należy wyrażać się językiem czytelnika, nie językiem intelektualistów mówiących „opatrzyć stemplem dokument podróżny" zamiast „skasować bilet". Nasz wydawca chyba kiedyś powiedział, że średnia wieku widzów jego stacji telewizyjnych... mam na myśli średnią pod względem dojrzałości umysłowej... wynosi dwanaście lat. Odbiorców dziennika, który chcemy wydawać, to nie dotyczy, ale zawsze dobrze jest przypisać swoim czytelnikom pewien wiek. Nasi powinni mieć po pięćdziesiątce, być zacnymi, uczciwymi mieszczanami miłującymi prawo i porządek, ale spragnionymi plotek i rewelacji o nieporządku pod różnymi postaciami. Wychodzimy z założenia, że nie są to czytelnicy pilni, a nawet że znaczna ich część nie ma w domu ani jednej książki; kiedy będzie trzeba, omówimy jednak znakomitą powieść, która rozchodzi się na całym świecie w milionach egzemplarzy. Nasz czytelnik nie czyta książek, ale lubi myśleć, że istnieją wielcy artyści — dziwacy i milionerzy. Podobnie nie zobaczy nigdy z bliska gwiazdy filmowej o smukłych udach, ale będzie chciał wiedzieć wszystko o jej potajemnych miłostkach. Pozwólmy jednak, że obecni przedstawią się sami. Zacznijmy od jedynej kobiety, panny… albo pani…

— Maia Fresia. Niezamężna, panna, singielka… jak pan woli. Lat dwadzieścia osiem, studia humanistyczne prawie ukończone, musiałam przerwać ze względów rodzinnych. Przez pięć lat pracowałam w czasopiśmie gossip, musiałam krążyć w środowisku aktorskim i wywąchiwać, kogo z kim łączą więzy czułej przyjaźni, organizować zasadzki paparazzich. Jeszcze częściej musiałam przekonywać piosenkarza albo aktorkę, żeby nawiązali z kimś czułą przyjaźń, i prowadzić pary na spotkanie z fotografami: spacer, ze splecionymi dłońmi, albo nawet ukradkowy pocałunek. Początkowo mi się to podobało, ale teraz mam już dość opowiadania bzdur.

— A dlaczego, moja śliczna, zgodziła się pani uczestniczyć w naszym przedsięwzięciu?

— Myślę, że dziennik zajmie się poważniejszymi sprawami i że będę mogła dać się poznać, przeprowadzając wywiady, które nie mają nic wspólnego z czułą przyjaźnią. Jestem dociekliwa i sądzę, że dobry ze mnie śledczy.

Była szczupła i mówiła z hamowaną werwą.

— Doskonale. A pan?

— Romano Braggadocio…

— Dziwne nazwisko, skąd się wywodzi?

— Proszę pana, to jedno z wielu przekleństw mojego życia. Podobno w angielskim ma złe znaczenie*, w innych językach na szczęście nie. Mój dziadek był znajdą, a jak wiadomo, w takich przypadkach nazwisko wymyślał urzędnik gminny. Jeśli był sadystą, mógł kogoś nazwać nawet Kutasińskim. W przypadku mojego dziadka urzędnik okazał się sadystą tylko w połowie, miał też pewną wiedzę… Ja specjalizuję się

---

* *Braggadocio* (ang.) — fanfaron.

w rewelacjach o skandalicznym posmaku, współpracowałem z czasopismem naszego wydawcy „Co się za tym kryje". Nie zatrudnił mnie jednak nigdy na stałe, płacił od artykułu.

Pozostało czterech. Cambria spędzał noce w izbach przyjęć i w komisariatach, czatując na świeżą wiadomość — areszt, śmierć w niesamowitym wypadku na autostradzie — i nie zrobił kariery. Lucidi wyglądał podejrzanie, wystarczyło spojrzeć; pisywał do gazet, o których nikt nigdy nie słyszał. Palatino miał za sobą długą działalność w tygodnikach poświęconych przeróżnym grom, zagadkom i łamigłówkom. Costanza pracował jako korektor w kilku dziennikach, ale obecnie gazety mają zbyt wiele stron, nikt nie jest w stanie przeczytać wszystkiego, zanim trafi to do druku; dziś nawet w wielkich dziennikach czytamy Simone de Beauvoire, Beaudelaire i Rooswelt, więc korektor staje się przestarzały jak prasa drukarska Gutenberga. Żaden z tych moich towarzyszy podróży nie mógł się pochwalić szczególnymi osiągnięciami. *Most San Luis Rey**. Zupełnie nie wiem, skąd ich Simei wytrzasnął.

Po dokonaniu prezentacji Simei ogólnikowo scharakteryzował gazetę.

— Będziemy zatem redagować dziennik. Dlaczego „Jutro"? Dlatego, że gazety tradycyjne podawały i niestety podają nadal wiadomości z poprzedniego wieczoru, stąd tytuły „Corriere della Sera", „Evening Standard" i „Le Soir". Otóż wiadomości z poprzedniego wieczoru usłyszeliśmy w telewizji o dwudziestej, więc w dziennikach czytamy zawsze o rzeczach nam już znanych, stąd też gazet sprzedaje się coraz mniej. W „Jutrze" te śmierdzące już jak nieświeża ryba wiadomości trzeba będzie tylko streścić i przypomnieć,

---

*Aluzja do powieści Thorntona Wildera, w której przeznaczenie prowadzi kilka przypadkowych osób ku zapowiedzianej w prologu katastrofie.

ale wystarczy na to jedna kolumienka, którą przeczyta się w kilka minut.

— O czym więc nasz dziennik ma pisać? — spytał Cambria.

— Przeznaczeniem dziennika jest obecnie upodobnienie się do tygodnika. Będziemy pisać o tym, co mogłoby się stać jutro, pogłębiać, uzupełniać dochodzenia, uprzedzać w nieoczekiwany sposób... Podaję przykład. O czwartej wybucha bomba, następnego dnia wszyscy już o tym wiedzą. Otóż my między czwartą a północą, zanim gazeta pójdzie do druku, musimy odkryć kogoś, kto powie coś nowego o przypuszczalnych sprawcach, coś, o czym nie wie jeszcze nawet policja, i nakreślić scenariusz wydarzeń, do których dojdzie w nadchodzących tygodniach w następstwie tego zamachu...

Braggadocio:

— Ale żeby przeprowadzić takie dochodzenie w osiem godzin, redakcja musiałaby być przynajmniej dziesięć razy większa od naszej, dysponować całą masą kontaktów, informatorów i kto wie czym jeszcze...

— Słusznie. Kiedy dziennik rzeczywiście powstanie, tak właśnie będzie musiało być. Ale na razie, przez rok, powinniśmy jedynie dowieść, że takie działanie jest możliwe. A jest, bo numer zerowy może mieć dowolną datę i może z powodzeniem stanowić przykład tego, czym byłaby gazeta kilka miesięcy wcześniej, powiedzmy wtedy, kiedy zdetonowano ową bombę. Wiemy już, co się stało potem, ale piszemy tak, jakby czytelnik jeszcze o tym nie wiedział. Wszystkie nasze niedyskrecje nabierają przeto posmaku czegoś nowego, niespodziewanego, powiedziałbym wręcz: proroczego. Zleceniodawcy będziemy mogli powiedzieć: taki byłby dziennik „Jutro", gdyby ukazał się wczoraj. Jasne? A w razie czego, nawet gdyby nikt nigdy żadnej bomby nie podrzucił, moglibyśmy bez trudu zrobić numer o tym, co by było gdyby.

— Albo sami podrzucilibyśmy bombę, jeśli tak byłoby wygodniej.

— Niechże pan nie opowiada głupstw — upomniał go Simei. Potem jednak zastanowił się jakby i dodał: — Jeśli rzeczywiście zechce pan to zrobić, proszę nic mi o tym nie mówić.

Wychodząc z zebrania, znalazłem się obok Braggadocia.

— Czy już się skądś znamy? — spytał.

Mnie się wydawało, że nie, on powiedział, że chyba rzeczywiście. Minę miał z lekka podejrzliwą i od razu zaczął mnie tykać. Simei przed chwilą zaprowadził w redakcji formę „pan", a ja zazwyczaj utrzymuję dystans zgodnie z zasadą „świń razem nie pasaliśmy" — ale Braggadocio widocznie podkreślał, że jesteśmy kolegami. Nie chciałem wyglądać na kogoś, kto zadziera nosa tylko dlatego, że Simei przedstawił mnie jako zwierzchnika redaktorów czy coś w tym rodzaju. Zresztą Braggadocio budził moją ciekawość, nie miałem też nic lepszego do roboty.

Wziął mnie pod ramię i powiedział, że pójdziemy do znanego mu lokalu czegoś się napić. Uśmiechał się swoimi pełnymi wargami i dużymi, nieco bezmyślnymi oczami w sposób, który wydał mi się odpychający. Był łysy jak von Stroheim, tył głowy opadał mu stromo na kark, ale twarz miał Telly'ego Savalasa — porucznika Kojaka. No i znowu reminiscencja.

— Ładniutka ta Maia, prawda?

Z zakłopotaniem wyznałem, że spojrzałem na nią tylko przelotnie; jak już mówiłem, od kobiet trzymam się z daleka.

Potrząsnął moim ramieniem.

— Nie udawaj dżentelmena, Colonna. Widziałem cię, przyglądałeś się jej mimowolnie. Według mnie dałaby się poderwać. Wszystkie właściwie takie są, wystarczy umiejętnie do każdej podejść. Trochę za chuda jak na mój gust, nie ma zupełnie piersi, ale mogłaby ujść.

Dotarliśmy już na ulicę Torino. Za kościołem poprowadził mnie w prawo, weszliśmy w ostro skręcającą uliczkę. Była źle oświetlona, co parę kroków drzwi zamknięte od Bóg wie jak dawna, prawie żadnego sklepu, widok zastarzałego opuszczenia. Odniosłem wrażenie, że unosi się tam zapach stęchlizny, ale musiała to być jedynie synestezja wywołana widokiem odrapanych i pokrytych wyblakłą bazgraniną ścian. Wysoko z jakiejś rury buchał dym, lecz nie mogłem ustalić skąd, ponieważ wszystkie górne okna były zamknięte, jakby w ogóle nikt tam nie mieszkał. Może ta rura należała do domu, którego okna wychodziły na inną stronę, a zadymianie opuszczonej ulicy nikogo nie martwiło.

— To ulica Bagnera, najwęższa w Mediolanie, choć nie taka jak paryska rue du Chat-qui-Pêche, którą dwie osoby razem właściwie nie mogą przejść. Nazywa się Bagnera, ale kiedyś nazywała się Stretta Bagnera, a jeszcze dawniej Stretta Bagnaria, Wąska Łaźniowa, ze względu na łaźnie publiczne z czasów rzymskich.

Zza rogu wyszła nagle kobieta z dziecinnym wózkiem.

— Lekkomyślna albo niepoinformowana — skomentował Braggadocio. — Gdybym był kobietą, nie przechodziłbym tędy, zwłaszcza po zapadnięciu zmroku. Mogą cię ciachnąć nożem jak nic. A byłaby szkoda, bo ta damulka niczego sobie, typowa mamusia gotowa iść do łóżka z hydraulikiem, odwróć się i popatrz, jak kręci tyłkiem. Lała się tutaj krew. Za tymi zaryglowanymi drzwiami pewno jeszcze się kryją opuszczone piwnice, może nawet tajne przejścia. W dziewiętnastym wieku niejaki Antonio Boggia, typek bez

31

zawodu i bez pieniędzy, pod pretekstem przejrzenia rachunków zwabił do jednej z tych suteren księgowego i rąbnął go siekierą. Zranionemu udaje się uratować, Boggię aresztują, uznają za wariata i osadzają na dwa lata w zakładzie dla obłąkanych. Bezpośrednio po zwolnieniu znowu jednak zaczyna polować na osoby naiwne i majętne, zwabia je do swojej piwnicy, okrada i morduje, potem grzebie ciała na miejscu. Serial killer, powiedzielibyśmy dzisiaj, ale morderca seryjny nieostrożny, bo zostawia ślady swoich powiązań handlowych z ofiarami. Chwytają go wreszcie, policja kopie w piwnicy i znajduje pięć czy sześć trupów; Boggia zostaje powieszony w okolicy Porta Ludovica. Jego głowę oddają do gabinetu anatomicznego Szpitala Centralnego. Były to czasy Lombrosa, w kształcie czaszki i w rysach twarzy dopatrywano się oznak przestępczości dziedzicznej. Tę głowę pochowano zdaje się później na cmentarzu Musocco, ale kto wie, takie przedmioty były łakomym kąskiem dla okultystów i satanistów różnego rodzaju... Boggię wspomina się tutaj jeszcze dziś jak w Londynie Kubę Rozpruwacza. Nie chciałbym spędzić w tym miejscu nocy, a jednak coś mnie tu ciągnie. Wracam w tę okolicę często, czasem nawet wyznaczam spotkania.

Wyszliśmy z ulicy Bagnera i trafiliśmy na plac Mentana. Stamtąd Braggadocio zaprowadził mnie na ulicę Morigi; była także dość ciemna, ale z kilkoma sklepikami i ładnymi bramami. Idąc nią, dotarliśmy na teren dużego parkingu, otoczony ruinami.

— Popatrz — powiedział Braggadocio — na lewo są ruiny z czasów rzymskich. Prawie nikt już nie pamięta, że Mediolan był też stolicą cesarstwa. Ruin się nie rusza, lecz nikogo one nie obchodzą. Ale te za parkingiem to jeszcze domy zburzone przez bomby podczas ostatniej wojny.

Zburzonych domów nie cechował odwieczny spokój starożytnych ruin, pogodzonych już ze śmiercią. Zionęły ponuro swoją chmurną pustką, jakby dręczone przez toczeń.

— Nie wiem dokładnie, dlaczego nikt nie próbował na tym obszarze budować — mówił Braggadocio. — Może jest pod ochroną, może właściciele mają większy dochód z parkingu, niż mieliby z wynajmowania mieszkań. Ale dlaczego zostawiają ślady po bombardowaniach? Mnie ten plac przeraża bardziej niż ulica Bagnera, jest też jednak piękny, bo pokazuje mi, jak wyglądał Mediolan po wojnie. Mało zostało już miejsc przypominających miasto sprzed prawie pięćdziesięciu lat. A ja ten właśnie Mediolan usiłuję odnaleźć, miasto, w którym mieszkałem jako dziecko i młody chłopak; kiedy wojna się skończyła, miałem dziewięć lat. Czasem w nocy wydaje mi się jeszcze, że słyszę huk bomb. Ale nie tylko ruiny tu zostały. Patrz, u wylotu ulicy Morigi wznosi się wieża z siedemnastego wieku, nawet bomby nie dały jej rady. A koło niej... chodź... stoi jeszcze od początku dwudziestego wieku tawerna, tawerna Moriggi. Nie pytaj mnie, dlaczego ma o jedno „g" więcej niż ulica, pewno urząd miejski się pomylił przy wykonywaniu tabliczek, w każdym razie tawerna jest starsza i ona musi mieć rację.

Weszliśmy do pomieszczenia o czerwonych ścianach. Z odrapanego sufitu zwisał stary żyrandol z kutego żelaza, na bufecie łeb jelenia, wzdłuż ścian setki pokrytych kurzem butelek wina, stoły drewniane (nie nadeszła jeszcze pora kolacji, wyjaśnił mi Braggadocio, więc świeciły gołymi deskami; później nakryto by je obrusami w czerwoną kratkę, a żeby coś zjeść, trzeba byłoby spojrzeć na ręcznie zapisaną tablicę, jak we francuskich restauracyjkach). Przy stołach siedzieli studenci i kilka postaci z dawnej cyganerii, o długich włosach poetów — nie chłopaków z tysiąc dziewięćset sześćdziesiątego ósmego roku, lecz facetów w rodzaju tych, którzy kiedyś nosili kapelusze z szerokim rondem i krawaty à la Lavallière; nie brakowało podchmielonych lekko staruszków, co do których trudno było zgadnąć, czy są tam od początku stulecia, czy też nowi właściciele zatrudniają ich jako statystów. Zjedliśmy z talerza trochę sera i wędlin, popiliśmy naprawdę dobrym merlotem.

— Ładnie tu, prawda? — powiedział Braggadocio. — Wydaje się, że czas stanął w miejscu.

— Ale dlaczego fascynuje cię ten Mediolan, którego powinno już nie być?

— Mówiłem ci, chcę widzieć to, czego już prawie nie pamiętam: Mediolan mojego dziadka i mojego ojca.

Pociągnął kilka łyków, oczy mu błyszczały. Papierową serwetką wytarł krążek wina, który pojawił się na stole ze starego drewna.

— Historia mojej rodziny jest ponura. Dziadek był dostojnikiem nieszczęsnego reżymu, jak się go nazywa. Dwudziestego piątego kwietnia*, kiedy próbował się ulotnić, został rozpoznany niedaleko stąd, na ulicy Cappuccio, przez jakiegoś partyzanta. Złapali go i rozstrzelali od razu za rogiem. Ojciec dowiedział się o tym późno, bo wierny ideałom dziadka wstąpił do Dziesiątej Flotylli**. Schwytano go w Salò i zamknięto na rok w obozie koncentracyjnym w Coltano. Wyszedł z tego obronną ręką, nie znaleziono przeciw niemu wystarczających dowodów. Zresztą już w czterdziestym szóstym roku Togliatti zapoczątkował ogólną amnestię. Oto paradoksy historii, komuniści rehabilitują faszystów, ale Togliatti miał chyba rację, należało za wszelką cenę wrócić do normal-

---

* 1945 roku — data wyzwolenia Włoch.
** Decima Mas — w czasie II wojny światowej najpierw flotylla łodzi torpedowych, potem faszystowska formacja szturmowa walcząca z partyzantami.

ności. Normalność była jednak taka, że ojciec z własną przeszłością i z cieniem swojego ojca nie mógł znaleźć pracy, utrzymywała go moja matka krawcowa. W tej sytuacji staczał się stopniowo, pił. Pamiętam tylko jego twarz pokrytą czerwonymi żyłkami i wodniste oczy, kiedy opowiadał mi o swoich obsesjach. Nie usiłował usprawiedliwiać faszyzmu… nie miał już ideałów… ale mówił, że antyfaszyści, starając się potępić reżym, wymyślali wiele okropności. Nie wierzył, że w obozach zagazowano sześć milionów Żydów. To znaczy nie był z tych, którzy dziś jeszcze negują Holokaust, ale nie dowierzał opowieściom wyzwolicieli. To wszystko przesada, mówił, czytałem świadectwa kilku ocalałych, według których leżące pośrodku obozu stosy ubrań pomordowanych sięgały na wysokość ponad stu metrów. Stu metrów? Czy zdajesz sobie sprawę, mówił, że stos wysokości stu metrów, siłą rzeczy w kształcie piramidy, musiałby mieć podstawę większą niż obszar całego obozu? Nie brał jednak pod uwagę, że świadkowie wspominający straszliwe wydarzenia posługują się hiperbolami. Świadek wypadku na autostradzie opowiada, że trupy leżały w morzu krwi, ale nie chce przez to powiedzieć, że było jej tam tyle co wody w Adriatyku. Chce po prostu dać do zrozumienia, że krwi było dużo. Postaw się na miejscu kogoś, kto wspomina jedno z najbardziej tragicznych doświadczeń swojego życia… To mój ojciec, nie przeczę, nauczył mnie nie wierzyć bezkrytycznie wiadomościom. Gazety kłamią, historycy kłamią, dziś kłamie także telewizja. Widziałeś w dziennikach telewizyjnych rok temu, podczas wojny z Irakiem, umazanego smołą kormorana, który kona w Zatoce Perskiej? Później ustalono, że o tej porze roku w Zatoce nie mogło być kormoranów i że zdjęcia zrobiono osiem lat wcześniej, w okresie wojny iracko-irańskiej. Zdaniem innych wzięto kormorany z zoo i umyślnie pokropiono ropą naftową. Podobnie musiało być ze zbrodniami faszystowskimi. Zauważ, ja nie jestem przywiązany do ideałów ojca i dziadka i nie chcę udawać, że nie mordowano Żydów; zresztą kilku moich najlepszych przyjaciół to Żydzi. Tylko że nikomu i niczemu już nie dowierzam. Amerykanie rzeczywiście polecieli na Księżyc? Nie da się wykluczyć, że zmajstrowali wszystko w studiu. Przypatrując się cieniom astronautów po ich wylądowaniu na Księżycu, widzisz, że można mieć wątpliwości. A wojna z Irakiem odbyła się naprawdę czy pokazano nam jedynie fragmenty jakichś starych filmów? Żyjemy w kłamstwie i wiedząc, że cię okłamują, musisz zawsze być podejrzliwy. Ja taki jestem, podejrzewam bez przerwy. Świadectwem prawdy jest dla mnie tylko ten Mediolan sprzed dziesiątków lat. Bombardowania były naprawdę, bombardowali zresztą Anglicy i Amerykanie.

— Co dalej z ojcem?

— Umarł z przepicia, kiedy miałem trzynaście lat. Jako dorosły, żeby skończyć z tymi wspomnieniami, spróbowałem rzucić się w stronę przeciwną. W sześćdziesiątym ósmym roku byłem już po trzydziestce, ale zapuściłem włosy, włożyłem kurtkę z kapturem, gruby sweter sportowy i wstąpiłem do prochińskiej wspólnoty. Później odkryłem, że Mao wymordował więcej ludzi niż Stalin i Hitler razem wzięci, a ponadto do wspólnoty wkradli się prawdopodobnie prowokatorzy z tajnych służb. Poświęciłem się wtedy wyłącznie dziennikarstwu, zacząłem tropić spiski. W ten sposób udało mi się nie wpaść w potrzask czerwonych terrorystów, a miałem niebezpiecznych znajomych. Nie jestem już pewien niczego poza tym, że za naszymi plecami stoi zawsze ktoś, kto nas oszukuje.

— A teraz?

— A teraz, o ile ten dziennik zdoła wystartować, być może znalazłem miejsce, gdzie potraktują poważnie pewne moje odkrycia... Zajmuję się jedną sprawą, która... nadawałaby się nie tylko do gazety, może starczyłaby nawet na książkę. A więc... Ale na razie sza, wrócimy do tematu, kiedy zbiorę wszystkie dane... Tylko że powinienem się pośpieszyć, potrzebuję pieniędzy. Ta mizerna sumka, którą nam daje Simei, to już coś jest, ale dla mnie nie dosyć.

— Nie dosyć na życie?

— Nie, chcę kupić samochód, oczywiście na raty, ale będę przecież musiał je spłacać. Samochód powinienem mieć zaraz, potrzebuję go, żeby prowadzić swoje dochodzenie.

— Wybacz, mówisz, że chcesz zarobić na dochodzeniu i kupić samochód, ale potrzebny ci samochód, by prowadzić dochodzenie.

— Żeby odtworzyć wiele spraw, musiałbym się ruszać, jeździć w różne miejsca, może wypytywać ludzi. Bez samochodu i z obowiązkiem codziennej obecności w redakcji będę musiał odtwarzać wszystko z pamięci, pracować wyłącznie głową. No i gdyby to był jedyny mój problem!

— Jaki więc naprawdę masz problem?

— Widzisz, nie jestem właściwie człowiekiem niezdecydowanym, jednak aby zrozumieć, co należy robić, trzeba połączyć wszystkie dane. Pojedynczy fakt nic ci nie mówi, wszystkie razem umożliwiają zrozumienie tego, czego początkowo nie dostrzegałeś. Trzeba więc wydobyć to, co usiłują przed tobą ukrywać.

— Masz na myśli swoje dochodzenie?

— Nie, wybór samochodu...

Wodził po stole palcem umoczonym w winie, jakby w tygodniku z łamigłówkami łączył linią szeregi punktów, z których powstanie figura.

— Samochód powinien być szybki i mieć pewną klasę, nie szukam bynajmniej czegoś małolitrażowego. Napęd na koła przednie lub tylne to dla mnie bez znaczenia. Pomyślałem o lancii thema turbo szesnastozaworowej, należy do najdroższych, prawie sześćdziesiąt milionów. Mógłbym spróbować, dwieście trzydzieści pięć kilometrów na godzinę, przyśpieszenie przy starcie siedem koma dwa. To prawie maksimum.

— Jest drogi.

— Nie tylko, trzeba wykryć rzeczy, które przed tobą zataili. Reklamy samochodów albo kłamią, albo przemilczają. Przeglądasz dokładnie dane techniczne w specjalistycznych czasopismach i widzisz, że ma sto osiemdziesiąt trzy centymetry szerokości.

— Czy to nie piękne?

— Ty też tego nie zauważasz. W różnych reklamach podają zawsze długość, liczy się ona niewątpliwie przy parkowaniu, wchodzi też w rachubę prestiż. Rzadko podają szerokość, o podstawowym przecież znaczeniu, jeśli masz mały garaż albo jeszcze mniejsze miejsce do parkowania, pomijając już sytuacje, kiedy krążysz w kółko jak wariat i szukasz szczeliny, w którą mógłbyś się wcisnąć. Szerokość to rzecz zasadnicza. Trzeba szukać poniżej stu siedemdziesięciu centymetrów.

— Myślę, że można takie znaleźć.

— Oczywiście, ale w samochodzie o szerokości stu siedemdziesięciu centymetrów jest ciasno; jeśli ktoś obok ciebie siedzi, brak ci już miejsca na prawy łokieć. Ponadto tracisz te wszystkie ułatwienia, które są w samochodach szerokich, wyposażonych w szereg elementów układu sterowania będących w zasięgu prawej ręki, obok skrzyni biegów.

— A więc?

— Trzeba zadbać, żeby tablica rozdzielcza była dostatecznie bogata, żeby przełączniki i wyłączniki były przy kierownicy, wtedy zbędne jest manipulowanie prawą ręką. Trafiłem wreszcie na saaba 900 turbo, szerokość sto sześćdziesiąt osiem centymetrów, maksymalna prędkość dwieście trzydzieści, cena niższa, około pięćdziesięciu milionów.

— W sam raz dla ciebie.

— Tak, ale w jakimś kąciku ci mówią, że przyśpieszenie jest osiem pięćdziesiąt, a idealne byłoby przynajmniej siedem, jak w roverze 220 turbo, cena czterdzieści milionów, szerokość sto sześćdziesiąt osiem, maksymalna prędkość dwieście trzydzieści pięć i przyśpieszenie sześć koma sześć, prawdziwy szatan.

— Więc nastaw się raczej na niego...

— Nie, bo dopiero na samym końcu opisu wyjawiają ci, że ma tylko sto trzydzieści siedem centymetrów wysokości. Zbyt niski na osobę korpulentną jak ja, wóz prawie wyścigowy dla elegancików udających sportowców, lancia zaś ma wysokość sto czterdzieści trzy, a saab sto czterdzieści cztery, wsiadasz do nich jak król. To wystarczy, ale jak jesteś elegancikiem, nie przeglądasz danych technicznych, które są jak przeciwwskazania na ulotkach dołączanych do lekarstw, opisane bardzo drobnym drukiem, żebyś się nie doczytał, że w dzień po zażyciu umrzesz. Rover 220 waży tylko tysiąc sto osiemdziesiąt pięć kilo. Mało; jeśli zderzysz się z tirem, zmiażdży cię zupełnie. Trzeba się nastawiać na samochody cięższe, wzmocnione stalą, nie powiem volvo, jest jak czołg, ale przynajmniej rover 820 TI, cena około pięćdziesięciu milionów, dwieście trzydzieści kilometrów na godzinę, tysiąc czterysta dwadzieścia kilo.

— Sądzę jednak, że i ten odrzuciłeś, ponieważ... — skomentowałem. Mnie także ogarnęła już paranoja.

— Ponieważ ma przyśpieszenie osiem koma dwa, żółw, żadnego zrywu. Tak samo mercedes C-280, sto siedemdziesiąt dwa centymetry szerokości, kosztuje aż sześćdziesiąt siedem milionów, przyśpieszenie ma osiem koma osiem. I jeszcze musisz czekać pięć miesięcy na dostawę. To też trzeba wziąć pod uwagę: na część samochodów, które ci wymieniłem, czeka się dwa miesiące, inne otrzymuje się od razu. A dlaczego od razu? Bo nikt ich nie chce. Więc ostrożnie! Zdaje się, że zaraz można dostać calibra turbo, szesnaście zaworów, dwieście czterdzieści pięć kilometrów na godzinę, napęd na cztery koła, przyśpieszenie sześć koma osiem, szerokość sto sześćdziesiąt dziewięć, kosztuje niewiele ponad pięćdziesiąt milionów.

— Świetny, powiedziałbym.

— Właśnie, że nie, bo waży tylko tysiąc sto trzydzieści pięć, za lekki, wysokość ledwie sto trzydzieści dwa, niższy od wszystkich innych, wóz dla klienta z pieniędzmi, ale karłowatego. Jest też więcej problemów. Pomyśl o bagażniku. Najobszerniejszy ma thema turbo, szesnaście zaworów, ale sam jest szeroki na sto siedemdziesiąt pięć centymetrów. Spośród tych wąskich zastanawiałem się nad dedrą 2.0 LX z pojemnym bagażnikiem, ma on jednak nie tylko przyśpieszenie dziewięć koma cztery, ale i waży niewiele ponad tysiąc dwieście kilo i osiąga zaledwie dwieście dziesięć kilometrów na godzinę.

— A zatem?

— A zatem zupełnie nie wiem, co mam robić. Jestem pochłonięty tym swoim dochodzeniem, a mimo to budzę się w nocy, żeby porównywać samochody.

— Znasz wszystko na pamięć?

— Porobiłem sobie tabelki, ale, niestety, rzeczywiście nauczyłem się ich na pamięć, rzecz nie do zniesienia. Zaczynam myśleć, że samochody wynaleziono po to, żebym ja nie mógł ich kupić.

— Czy nie przesadzasz z tym podejrzeniem?

— Podejrzenia nigdy nie są przesadne. Podejrzewaj, podejrzewaj nieustannie, tylko w ten sposób poznasz prawdę. Czy nie tak mówi nam nauka?

— Tak mówi i tak robi.

— Bujdy, także nauka kłamie. Weź sprawę zimnej fuzji. Kłamali nam miesiącami, potem wykryto, że to bzdura.

— Ale wykryto.

— Kto? Pentagon, który pewno chciał zatuszować coś kłopotliwego. Może mieli rację ci od zimnej fuzji, a kłamali ci, co utrzymywali, że kłamią tamci.

— Zgoda, jeśli chodzi o Pentagon i CIA, ale nie powiesz mi chyba, że wszystkie czasopisma motoryzacyjne są kontrolowane przez tajne służby czatującej na nas demoplutożydokracji — usiłowałem przywrócić mu zdrowy rozsądek.

— No wiesz — powiedział z gorzkim uśmiechem — one też są związane z wielkim przemysłem amerykańskim i z siedmioma siostrami od ropy naftowej, a te zamordowały Matteiego*, co mogłoby mnie zresztą zupełnie nie obchodzić, ale i mojego dziadka rozstrzelano z ich winy, bo finansowały partyzantów. Widzisz, jak wszystko się ze sobą łączy?

Kelnerzy rozkładali już obrusy, dając nam do zrozumienia, że nadeszła chwila rozstania z tymi, co przyszli tylko na kilka kieliszków wina.

— Kiedyś mogłeś przy dwóch kieliszkach siedzieć aż do drugiej w nocy — westchnął Braggadocio — lecz teraz i tutaj nastawili się na klientelę z forsą. Pewnego dnia otworzą dyskotekę ze stroboskopowymi światłami. Jeszcze wszystko jest tu prawdziwe, ale już śmierdzi fałszem. Wyobraź sobie, że właścicielami tej starej mediolańskiej tawerny są już od dawna Toskańczycy. Porządni niewątpliwie ludzie, ale pamiętam jeszcze z dzieciństwa, że kiedy była mowa o córce znajomych, która nieszczęśliwie wyszła za mąż, jeden z naszych kuzynów tłumaczył aluzyjnie: Trzeba by wybudować mur pod Florencją. A moja matka: Pod Florencją? Nie, pod Bolonią!

Kiedy czekaliśmy na rachunek, Braggadocio spytał mnie prawie szeptem:

* Enrico Mattei — włoski biznesmen i polityk, prezes Państwowego Koncernu Energetycznego ENI; zginął w tajemniczych okolicznościach w 1962 roku.

— Nie udzieliłbyś mi pożyczki? Zwróciłbym w dwa miesiące.

— Ja? Jestem przecież goły jak ty.

— No dobrze. Nie wiem, ile ci daje Simei i nie mam prawa tego wiedzieć. Tak sobie tylko powiedziałem. W każdym razie rachunek płacisz ty, prawda?

W ten sposób poznałem Braggadocia.

IV

ŚRODA, 8 KWIETNIA

Następnego dnia odbyło się pierwsze właściwe zebranie redakcji.

— Robimy gazetę — powiedział Simei — gazetę z osiemnastego lutego bieżącego roku.

— Dlaczego właśnie z osiemnastego lutego? — spytał Cambria, który miał potem wyróżnić się jako ten, który zawsze stawia najgłupsze pytania.

— Bo tej zimy, siedemnastego lutego, karabinierzy weszli do biura Maria Chiesy, dyrektora Pio Albergo Trivulzio[*] i ważnego działacza Partii Socjalistycznej w Mediolanie. Jak wam wszystkim wiadomo, Chiesa zażądał łapówki za kontrakt z przedsiębiorstwem z Monzy zajmującym się sprzątaniem; kontrakt miał opiewać na sto czterdzieści milionów, on chciał dla siebie dziesięć procent. Jak widzicie, nawet z przytułku dla staruszków można zrobić dojną krowę. Chiesa doił najwidoczniej nie po raz pierwszy, bo szef firmy od sprzątania miał tego dosyć i go zadenuncjował. Poszedł wręczyć mu pierwszą wpłatę z obiecanych czternastu milionów zaopatrzony w mikrofon i ukrytą telekamerę. Zaledwie Chiesa przyjął łapówkę, do jego gabinetu wkroczyli karabinierzy. Przerażony złapał z szuflady inny, grubszy plik banknotów, który pobrał przedtem od kogoś innego, i pobiegł do

---

[*] Historyczny mediolański szpital dla osób w podeszłym wieku.

ustępu, żeby wrzucić pieniądze do muszli, ale na próżno; zanim zdążył zniszczyć wszystkie te banknoty, był już w kajdankach. Oto sprawa, pamiętacie ją chyba. Teraz wie pan już, panie Cambria, co opowiemy w wydaniu z następnego dnia. Proszę iść do archiwum, przeczytać uważnie wiadomości z siedemnastego lutego i napisać nam kolumienkę wstępną... nie, cały piękny artykuł, bo jeśli dobrze sobie przypominam, w dziennikach telewizyjnych nie było tamtego wieczoru mowy o tym wydarzeniu.

— Okej, szefie. Już idę.

— Proszę jeszcze poczekać. Teraz pojawia się misja „Jutra". Pamiętacie pewno, że w następnych dniach usiłowano sprawę zbagatelizować. Premier Craxi miał potem powiedzieć, że Chiesa to tylko łobuz, i odżegnać się od niego, ale chodzi o to, czego czytelnik osiemnastego lutego nie mógł jeszcze wiedzieć: organy wymiaru sprawiedliwości dalej prowadziły śledztwo i do głosu dochodził prawdziwy brytan, sędzia Di Pietro, którego dzisiaj wszyscy znają, ale o którym wtedy nikt nie słyszał. Di Pietro wymaglował Chiesę, wykrył, że ma rachunki bankowe w Szwajcarii, zmusił go do przyznania się, że nie stanowi odosobnionego przypadku. Sędzia odkrywa powoli sieć skorumpowanych polityków ze wszystkich partii, pierwsze konsekwencje są już widoczne, Demokracja Chrześcijańska i Partia Socjalistyczna tracą w wyborach masę głosów, wzmacnia się Liga, która nienawidzi rządu w Rzymie, skandal jest jej na rękę. Mnożą się aresztowania, partie rozpadają się stopniowo, niektórzy twierdzą, że po upadku muru berlińskiego i rozkładzie ZSRR Amerykanie nie potrzebują już partii, którymi mogli manewrować, i oddają je w ręce sędziów; można też zaryzykować przypuszczenie, że to sędziowie działają zgodnie z wyznaczonym przez amerykańskie tajne służby scenariuszem, ale na razie nie przesadzajmy. Taka jest sytuacja dzisiaj, lecz osiemnastego lutego nikt nie był w stanie sobie wyobrazić, co się wydarzy. Wyobrazi to sobie jednak „Jutro" i sformułuje szereg przewidywań. Ten artykuł złożony z hipotez i insynuacji powierzam panu, panie Lucidi. Będzie pan musiał, opierając się na słowach „prawdopodobnie" i „może", zręcznie opowiedzieć to, co potem w rzeczywistości się stało. Proszę wymienić nazwiska kilku polityków z różnych partii, zachowując między nimi równowagę, wciągnąć do gry także lewicę, dać do zrozumienia, że redakcja wciąż gromadzi dokumenty. Całość powinna brzmieć tak, żeby również przyszli czytelnicy naszego numeru 0/1 umierali ze strachu, wiedząc doskonale, co się wydarzyło w ciągu dwóch miesięcy, począwszy od lutego, i zastanawiając się, jak mógłby wyglądać nasz numer zerowy z datą dzisiejszą… Jasne? Więc do roboty.

— Dlaczego zleca pan to mnie? — zapytał Lucidi.

Simei spojrzał na niego dziwnie, jakby on właśnie miał rozumieć to, czego nie rozumieliśmy my.

— Bo wydaje mi się, że jest pan szczególnie uzdolniony do zbierania wiadomości i przekazywania ich komu trzeba.

Później, już w cztery oczy, spytałem Simeiego, co miał na myśli.

— Proszę nie plotkować o tym z innymi — powiedział — ale Lucidi jest moim zdaniem powiązany z tajnymi służbami, dziennikarstwo to dla niego przykrywka.

— Mówi pan więc, że to szpieg. Dlaczego chciał pan szpiega w redakcji?

— Bo jest bez znaczenia, że szpieguje. Czyż może opowiedzieć służbom coś oprócz tego, co wynikałoby dla nich w sposób oczywisty z lektury któregokolwiek z naszych numerów zerowych? Nam może jednak dostarczyć wiadomości, które zebrał, szpiegując innych.

Simei nie jest najprawdopodobniej wybitnym dziennikarzem, pomyślałem, ale jest swego rodzaju geniuszem. Przypomniałem sobie też przypisywany pewnemu znanemu ze złośliwości dyrygentowi komentarz na temat jednego z muzyków: „Jest swego rodzaju bogiem. Tylko że to rodzaj gówniany".

V

PIĄTEK, 10 KWIETNIA

Nadal myśleliśmy nad tym, co umieścić w numerze 0/1. Simei rozwodził się nad zasadami o znaczeniu podstawowym dla pracy nas wszystkich.

— Panie magistrze Colonna, proszę wytłumaczyć bliżej naszym przyjaciołom, jak przestrzegać, lub udawać, że się przestrzega, podstawowej zasady demokratycznego dziennikarstwa: fakty oddziela się od opinii. Opinii będzie w „Jutrze" bardzo wiele, będą też zawsze jasno wyróżniane, ale jak uwidocznić, że w innych artykułach mowa jedynie o faktach?

— To bardzo proste — powiedziałem. — Weźcie wielkie dzienniki anglosaskie. Pisząc... bo ja wiem... o pożarze lub o wypadku samochodowym, nie mogą oczywiście wyrazić, co same o tych zdarzeniach myślą. Włączają więc do artykułu ujęte w cudzysłów wypowiedzi świadka, człowieka z ulicy, przedstawiciela opinii publicznej. Za sprawą cudzysłowu te wypowiedzi stają się faktami, bo jest faktem, że dana osoba wyraziła daną opinię. Można by jednak przypuścić, że dziennikarz udzielił głosu jedynie temu, kto myśli tak jak on sam. Dlatego wypowiedzi będą dwie, sprzeczne ze sobą, aby dowieść, że faktem jest, iż istnieją różne opinie o opisywanym wydarzeniu, a gazeta ten niezaprzeczalny fakt jedynie prezentuje. Sztuka polega na tym, żeby w cudzysłowie umieścić najpierw opinię banalną, a później inną, rozsądniejszą, znacznie bliższą opinii samego dziennikarza. W ten sposób czytelnik odnosi wrażenie, że poinformowano go o dwóch faktach, jest jednak skłonny zaakceptować tylko jedną opinię jako bardziej przekonującą. Na przykład: zawalił się wiadukt, spadła ciężarówka, kierowca nie żyje. Po dokładnym opisaniu faktu powiemy w tekście: rozmawialiśmy z panem Rossim, lat czterdzieści dwa, właścicielem kiosku z gazetami na rogu. *Co chcecie, zrządzenie losu*, oświadczył, *szkoda mi tego biedaka, ale przeznaczenia się nie uniknie.* Chwilę później pan Bianchi, lat trzydzieści cztery, murarz zatrudniony na pobliskiej budowie, zapewni: *To wina gminy, wiadomo było od dawna, że z tym wiaduktem jest coś nie w porządku.* Z kim utożsami się czytelnik? Z tym, kto występuje przeciwko komuś lub czemuś, kto wskazuje ponoszących odpowiedzialność. Jasne? Najważniejsze, co i jak umieścić w cudzysłowie. Przećwiczmy to. Zacznijmy od pana, panie Costanza. Wybuchła bomba na placu Fontana*.

Costanza trochę pomyślał, a potem:

— Pan Rossi, lat czterdzieści jeden, urzędnik miejski, który w chwili wybuchu mógłby przebywać w banku, powiedział nam: *Byłem niedaleko, słyszałem wybuch. Straszne! Kryje się za tym ktoś, kto chce łowić ryby w mętnej wodzie, ale nigdy nie dowiemy się kto.* Pan Bianchi, lat pięćdziesiąt, fryzjer, również przechodził tamtędy, kiedy nastąpił wybuch; *był straszliwy, ogłuszający*, zapewnia i komentuje: *Typowy zamach w stylu anarchistów, bez cienia wątpliwości.*

— Doskonale. Panno Fresia, dowiadujemy się o śmierci Napoleona.

— No więc powiedziałabym, że pan Blanche, darujmy sobie wiek i zawód, mówi nam, że chyba niesprawiedliwie zamknięto na wyspie człowieka już skończonego, biedak też

---

*Miejsce krwawego zamachu terrorystycznego w siedzibie jednego z banków, Mediolan 1969.

miał rodzinę. A pan Manzoni, z francuska raczej Mansoni, oświadcza: *Odszedł człowiek, który zmienił świat „od Renu aż do Manzanaru"*[*], *gigant*.

— Dobry ten Manzanar — uśmiechnął się Simei — ale kiedy chcemy ukradkowo przekazywać opinie, mamy do dyspozycji także inne środki. Żeby wiedzieć, co ma być w gazecie, trzeba, jak mawiają w redakcjach, określić porządek dnia. Wiadomości do zakomunikowania jest na świecie bez liku, ale dlaczego mamy podawać, że był wypadek w Bergamo, a nie podawać, że był inny wypadek w Mesynie? To nie wiadomości czynią gazetę, to gazeta czyni wiadomości. Składając umiejętnie cztery różne wiadomości, proponuje się czytelnikowi wiadomość piątą. Oto dziennik z przedwczoraj, ta sama strona: Mediolan, noworodek wrzucony do ustępu; Pescara, brat Dawida nie ma nic wspólnego z jego śmiercią; Amalfi, ojciec zarzuca oszustwo psycholożce, której powierzył cierpiącą na anoreksję córkę; Buscate, po czternastu latach spędzonych w domu poprawczym wychodzi na wolność chłopak, który w wieku piętnastu lat zabił ośmioletnie dziecko. Te cztery wiadomości widnieją wszystkie na tej samej stronie, pod nagłówkiem „Społeczeństwo Dzieci Przemoc". Mowa jest z pewnością o aktach gwałtu zadanych nieletnim, ale opisane zjawiska są jednak całkiem różne. W jednym tylko przypadku, dzieciobójstwa, chodzi o gwałt zadany przez rodziców dziecku, sprawa psycholożki nie wydaje się dotyczyć dzieci, bo nie podano wieku cierpiącej na anoreksję córki, sprawa chłopca z Pescary dowodzi najwyżej, że aktu przemocy nie było, a chłopak zginął przypadkowo; wreszcie informacja z Buscate... wystarczy uważnie przeczytać... dotyczy trzydziestoletniego prawie draba i właściwie nawiązuje

---

[*] Cytat z ody Alessandra Manzoniego *Piąty maja* napisanej z okazji śmierci Napoleona (tłum. Józef Jankowski, w: *Antologia polskich przekładów poezji włoskiej*, Kraków 2006, s. 229).

49

do wydarzenia sprzed czternastu lat. Co chciał nam dziennikarz za pomocą tej strony powiedzieć? Może nie zamierzał mówić niczego; trafiły do niego cztery depesze agencyjne, a on z lenistwa postanowił podać je razem, aby wywarły większe wrażenie. Ale w rzeczywistości gazeta przekazuje nam dzięki temu pewną myśl, alarmuje, ostrzega… czy ja wiem… Pomyślcie tylko o czytelniku: na każdą z tych czterech wiadomości z osobna zareagowałby obojętnie, wszystkie razem zmuszają go do przeczytania strony. Zrozumieliście? Wiem dobrze, długo wymądrzano się o tym, że gazety piszą zawsze: kalabryjski robotnik napada na towarzysza pracy, nigdy zaś: robotnik piemoncki napada na towarzysza pracy; no tak, to rasizm, ale wyobraźcie sobie stronę, na której widnieje: robotnik piemoncki itd., itd., emeryt wenecki morduje żonę, kioskarz z Bolonii popełnia samobójstwo, genueński murarz wystawia czek bez pokrycia. Co czytelnika obchodzi, gdzie urodzili się ci ludzie? Kiedy natomiast mówimy o robotniku kalabryjskim, o emerycie z Matery, o kioskarzu z Foggii, o murarzu z Palermo, rodzi się niepokój w związku z przestępczością na południu kraju — i to jest wiadomość… Nasz dziennik wychodzi w Mediolanie, nie w Katanii, musimy brać pod uwagę wrażliwość mediolańskiego czytelnika. Uważajcie, wiadomość budząca zainteresowanie to ładna rzecz, wiadomość my tworzymy i trzeba, żeby była czytelna między wierszami. Panie magistrze Colonna, w godzinach wolnych od pracy proszę zebrać naszych redaktorów, przeglądajcie depesze agencyjne, zredagujcie kilka stron na określone tematy, uczcie się znajdować wiadomość tam, gdzie jej nie było albo gdzie nie umiało się jej dostrzec. Odwagi!

Innym przedmiotem naszych rozważań było dementowanie. Byliśmy jeszcze dziennikiem bez czytelników, zatem bez względu na to, jaką opublikowalibyśmy wiadomość, nikt nie mógłby jej zdementować. O gazecie świadczy jednak także jej zdolność do stawienia czoła zaprzeczeniom, zwłaszcza jeśli ta gazeta dowodzi, że nie obawia się zajmować zepsuciem. Mieliśmy więc nie tylko uczyć się reagować na zaprzeczenia prawdziwe, ale i wymyślać listy czytelników, które wymagałyby naszego dementi. Zleceniodawca powinien wiedzieć, jacy jesteśmy sprawni.

— Rozmawiałem o tym wczoraj z magistrem Colonną. Zamierza on wygłosić, że tak powiem, piękny wykład o technice dementowania.

— Dobrze — powiedziałem — podaję przykład szkolny, nie tylko fikcyjny, ale, mówmy sobie szczerze, także mocno przesadny. To parodia zaprzeczenia, ogłoszona kilka lat temu w „Espresso". Do tygodnika wpłynął jakoby list od niejakiego Precyzjusza Dementiusa. Przeczytam go wam.

Szanowny Panie Redaktorze, nawiązując do artykułu W idy *nie widziałem ogłoszonego w ostatnim numerze Pańskiego czasopisma z podpisem Wierny Prawdzie, pozwalam sobie sprecyzować, co następuje. Nieprawdą jest, jakobym był obecny przy zamordowaniu Juliusza Cezara. Jak zauważy Pan, uprzejmie czytając załączone świadectwo urodzenia, przyszedłem na świat w Molfetcie 15 marca 1944 roku, a więc wiele stuleci po tym nieszczęśliwym wydarzeniu, które skądinąd zawsze potępiałem. Pan Wierny musiał źle mnie zrozumieć, kiedy mu powiedziałem, że świętuję regularnie z kilkoma przyjaciółmi dzień 15 marca 44 roku.*

Nieprawdą jest również, jakobym powiedział później do niejakiego Brutusa: „Zobaczymy się znowu pod Filippi"*. Precyzuję, że nie zadawałem się nigdy z panem Brutusem, nawet jego nazwisko było mi do wczoraj obce. W trakcie naszego krótkiego wywiadu telefonicznego powiedziałem w istocie panu Wiernemu, że wkrótce zobaczę się

---

* Bitwa pod Filippi w 42 r. p.n.e., w której uczestniczył Brutus.

51

*ponownie z radnym miejskim do spraw ruchu kołowego Filippim,
lecz zdanie padło w kontekście rozmowy o problemach motoryzacyj-
nych. W powyższym kontekście nie powiedziałem też bynajmniej, że
najmuję morderców, aby wyeliminowali tego zwariowanego zdrajcę
Juliusza Cezara. Powiedziałem natomiast: „Namawiam radnego,
aby wyeliminował zwariowany ruch z placu Juliusza Cezara".*

Z podziękowaniem i wyrazami poważania,
Pański Precyzjusz Dementius

— Jak zareagować na tak precyzyjne zaprzeczenie, nie tra-
cąc twarzy? Oto właściwa odpowiedź.

*Przyjmuję do wiadomości, że pan Dementius nie przeczy bynaj-
mniej, iż Juliusza Cezara zamordowano w idy marcowe 44 roku.
Przyjmuję także do wiadomości, że pan Dementius świętuje zawsze
z przyjaciółmi rocznicę 15 marca 1944 roku. Właśnie ten osobliwy
obyczaj chciałem napiętnować w swoim artykule. Pan Dementius
może mieć osobiste powody, aby popijając tęgo, świętować ten dzień,
nie zaprzeczy jednak, że zbieżność dat jest co najmniej szczególna.
Pamięta też zapewne, że w trakcie długiego i bogatego w treść wywiadu telefonicznego, którego mi udzielił, wypowiedział zdanie:
„Uważam, że zawsze trzeba oddać Cezarowi to, co należy do Cezara". Otóż z bardzo bliskiego panu Dementiusowi źródła, w którego
miarodajność nie wątpię, zapewniono mnie, że Cezar otrzymał
dwadzieścia trzy ciosy puginałem. Stwierdzam, że w całym swoim
liście pan Dementius unika poinformowania nas, kto właściwie te
ciosy zadał.*

*Co się tyczy przykrego sprostowania dot. Filippi, mam przed ocza-
mi swój notes, w którym zapisano bez cienia wątpliwości, że pan Dementius nie powiedział „Zobaczymy się znowu z panem Filippi", lecz
„Zobaczymy się znowu pod Filippi".*

*Mogę zapewnić, że to samo dotyczy pogróżek pod adresem Juliu-
sza Cezara. Czytam wyraźnie w swoim notesie, który mam obecnie*

przed oczami: „na...rd elimin. zwar... r... Juliusza Cezara". Nie usiłujmy dowodzić tego, czego dowieść się nie da, i uprawiać igraszek słownych. Nie uda się w ten sposób uchylić od poważnej odpowiedzialności ani założyć knebla prasie.

I podpis: *Wierny Prawdzie*. Więc co jest skutecznego w tym zaprzeczeniu zaprzeczenia? Przede wszystkim wzmianka, że dziennikarz dowiedział się tego, co napisał, ze źródeł bliskich panu Dementiusowi. To działa zawsze: nie mówi się, co to za źródła, lecz sugeruje, że gazeta ma dostęp do źródeł poufnych, prawdopodobnie bardziej miarodajnych od samego Dementiusa. Następnie powołanie się na dziennikarski notes. Owego notesu nikt nigdy nie zobaczy, ale myśl o tekście sporządzonym na żywo budzi zaufanie do gazety, pozwala przypuszczać, że istnieją odpowiednie dokumenty. Wreszcie powtórzenie insynuacji, które same w sobie nic nie znaczą, lecz rzucają cień podejrzenia na Dementiusa. Nie twierdzę, że zaprzeczenia tak właśnie mają wyglądać, to parodia, zapamiętajcie jednak dobrze trzy podstawowe składniki zaprzeczenia zaprzeczenia: zebrane pogłoski, zapiski w notesie i powątpiewania wszelkiej maści na temat wiarygodności zaprzeczającego. Zrozumieliście?

— Doskonale — odpowiedzieli wszyscy jednogłośnie.

Nazajutrz każdy przyniósł przykłady zaprzeczeń mniej groteskowych, lecz równie skutecznych. Wszyscy moi uczniowie pojęli lekcję.

Maia Fresia zaproponowała:

— Przyjmujemy do wiadomości zaprzeczenie, precyzujemy jednak, że to, co napisaliśmy, wynika z akt sądowych, a mianowicie z zawiadomienia o wszczęciu dochodzenia wstępnego. Czytelnik nie wie, że Dementiusa uniewinniono potem w śledztwie. Nie wie też, że te akta musiały być poufne i że nie jest jasne, jak do nas trafiły ani czy w ogóle są autentyczne. Pracę domową wykonałam, ale, za

pańskim pozwoleniem, panie Simei, wydaje mi się, że jest to... jak by tu powiedzieć... świństwo.

— Moja śliczna — skomentował Simei — znacznie większym świństwem byłoby przyznać, że gazeta nie sprawdziła źródeł. Zgadzam się jednak, że zamiast operować danymi, które ktoś mógłby sprawdzić, zawsze lepiej jest poprzestać na insynuacjach. Insynuować nie znaczy mówić coś dokładnie, chodzi jedynie o to, aby na zaprzeczającego padł cień podejrzenia. Na przykład: *Chętnie przyjmujemy do wiadomości uściślenie, wydaje nam się jednak, że pan Dementius...* piszemy zawsze tylko „pan", bez tytułów; w ten sposób w naszym kraju człowieka się znieważa... *wydaje nam się jednak, że pan Dementius wysłał już dziesiątki zaprzeczeń do różnych dzienników. To zapewne jego pełnoetatowa działalność, do której czuje się zmuszony.* Jeśli wtedy Dementius przyśle nowe zaprzeczenie, jesteśmy upoważnieni do rezygnacji z jego opublikowania albo do opublikowania z komentarzem, że pan Dementius ciągle powtarza te same rzeczy. I tak czytelnik nabiera przekonania, że chodzi o paranoika. Widzicie, jakie korzyści płyną z insynuacji: podając, że Dementius napisał już do innych gazet, mówimy tylko prawdę, której nie można zaprzeczyć. Insynuacją skuteczną jest ta, która dotyczy faktów samych w sobie bez znaczenia, lecz niedających się zdementować, bo prawdziwych.

Po przyswojeniu sobie tych rad przystąpiliśmy — jak powiedział Simei — do brainstormingu. Palatino przypomniał sobie, że współpracował wcześniej z czasopismami poświęconymi grom i łamigłówkom, i zaproponował, by nasz dziennik obok programu telewizyjnego, wiadomości o pogodzie i horoskopów poświęcał też pół strony grom.

Simei przerwał mu:

— Ależ oczywiście, horoskopy, całe szczęście, że pan je wymienił, to ich przede wszystkim będą szukać nasi czytelnicy!

Panno Fresia, pierwsze zadanie dla pani: proszę trochę poczytać gazety i czasopisma publikujące horoskopy i wydobyć z nich kilka powtarzających się schematów. Należy ograniczyć się do prognostyków optymistycznych, ludzie nie lubią czytać, że za miesiąc umrą na raka. Niech pani redaguje przepowiednie odpowiadające wszystkim. Chcę powiedzieć, że czytelniczce sześćdziesięcioletniej trudno byłoby uwierzyć, iż spotka młodzieńca swojego życia, ale na przykład przepowiednia, że Koziorożcowi zdarzy się w najbliższych miesiącach coś, co go uszczęśliwi, pasuje do wszystkich — do nastolatka, jeśli w ogóle weźmie naszą gazetę do ręki, do pani w pewnym wieku i do księgowego czekającego na podwyżkę. Przejdźmy jednak do gier, drogi panie Palatino. Na przykład krzyżówki?

— Tak, krzyżówki — powiedział Palatino — ale niestety będziemy musieli układać krzyżówki w rodzaju: kto wylądował w Marsali.

— I cieszyć się, jeśli czytelnik napisze „Garibaldi" — uśmiechnął się kpiąco Simei.

— W krzyżówkach zagranicznych znajdujemy za to określenia zawierające w sobie grę słów. W pewnej francuskiej gazecie umieszczono kiedyś „ma głowę", a nie chodziło o człowieka, lecz o kometę, bo także komety mają głowy.

— To nie dla nas — powiedział Simei. — Nasz czytelnik może nawet nie wie, co to kometa, a z głową już na pewno jej nie skojarzy, prędzej z ogonem. Tylko Garibaldi albo „mąż Ewy", albo „matka cielaka" — coś w tym rodzaju.

Wtedy głos zabrała Maia, z twarzą rozjaśnioną niemal dziecinnym uśmiechem, jakby szykowała się do jakiejś psoty. Powiedziała, że krzyżówki to dobra rzecz, ale czytelnik musi czekać do następnego numeru, żeby się dowiedzieć, czy jego rozwiązanie jest właściwe. Tymczasem można by udać, że w poprzednich numerach ogłoszony został swego rodzaju konkurs, i publikować najdowcipniejsze odpowiedzi czytelników. Na przykład, powiedziała, moglibyśmy utrzymywać, że prosiliśmy o najgłupsze odpowiedzi na równie głupie pytania.

— Kiedyś na uniwersytecie zabawialiśmy się wymyślaniem obłędnych pytań i odpowiedzi. Chociażby: Dlaczego banany rosną na drzewach? Bo gdyby rosły niżej, zaraz pożarłyby je krokodyle. Dlaczego narty suną po śniegu? Bo gdyby sunęły tylko po kawiorze, sporty zimowe okazałyby się zbyt kosztowne.

Palatino rozentuzjazmował się.

— Dlaczego Cezar przed śmiercią powiedział: *Tu quoque Brute*? Bo ciosu nożem nie zadał mu Scypion Afrykański. Dlaczego piszemy z lewa w prawo? Bo inaczej zdania zaczynałyby się od kropki. Dlaczego szyny nigdy się nie zbiegają? Bo gdyby się zbiegły, ustałby ruch pociągów.

Także inni byli już podekscytowani. Do zawodów włączył się Braggadocio.

— Dlaczego mamy dziesięć palców? Bo gdybyśmy mieli sześć, byłoby również sześć przykazań i na przykład wolno byłoby kraść. Dlaczego Bóg jest istotą najdoskonalszą? Bo gdyby był najmniej doskonałą, byłby moim kuzynem Gustawem.

Włączyłem się i ja.

— Dlaczego whisky wymyślono w Szkocji? Bo gdyby wymyślono ją w Japonii, nazywałaby się sake i nie można by jej pić z wodą sodową. Dlaczego morze jest tak wielkie? Bo jest zbyt dużo ryb i nierozsądne byłoby umieścić je na Przełęczy Świętego Bernarda. Dlaczego kogut pieje o drugiej nad ranem? Bo gdyby piał o trzydziestej trzeciej, byłby wielkim mistrzem masonerii.

— Poczekajcie — powiedział Palatino. — Dlaczego kieliszki są otwarte u góry, a zamknięte u dołu? Bo w przeciwnym wypadku zbankrutowałyby wszystkie bary. Dlaczego mamusia to zawsze mamusia? Bo gdyby czasem była także tatusiem, ginekolodzy nie wiedzieliby, co począć. Dlaczego paznokcie rosną, a zęby nie? Bo inaczej neurastenicy obgryzaliby sobie zęby. Dlaczego tyłek jest u dołu, a głowa u góry? Bo w przeciwnym wypadku bardzo trudno byłoby zaprojektować łazienkę. Dlaczego nogi zginają się do wewnątrz, a nie na zewnątrz? Bo byłoby to bardzo niebezpieczne w samolocie przy przymusowym lądowaniu. Dlaczego Krzysztof Kolumb żeglował na zachód? Bo gdyby żeglował na wschód, odkryłby Frosinone. Dlaczego palce mają paznokcie? Bo gdyby miały źrenice, byłyby oczami.

Teraz wyścigu nie można już było zatrzymać. Znowu odezwała się Fresia.

— Dlaczego tabletki aspiryny różnią się kształtem od jaszczurek? Bo wyobraźcie sobie, co stałoby się w przeciwnym wypadku. Dlaczego pies zdycha na grobie swojego pana? Bo nie ma tam drzewa, nie może się wysiusiać i po trzech dniach pęka mu pęcherz. Dlaczego kąt prosty liczy dziewięćdziesiąt stopni? On niczego nie liczy, to inni go obliczają.

— Wystarczy — powiedział Simei, który chwilami nie mógł powstrzymać się od śmiechu. — To studenckie kawały. Zapominacie, że nasz czytelnik nie jest intelektualistą oswojonym z surrealistami bawiącymi się w *cadavre exquis*. Wziąłby wszystko na serio i pomyślał, że zwariowaliśmy. Proszę państwa, my tutaj się bawimy, a nie powinniśmy. Czekam na poważne propozycje.

Dział pytań został zatem zlikwidowany. Szkoda, byłby niewątpliwie zabawny. Ta sprawa skłoniła mnie jednak do uważnego przyjrzenia się Mai Fresii. Jeśli była taka dowcipna, musiała też być ładna. I na swój sposób była. Dlaczego na swój sposób? To jeszcze nie było dla mnie jasne, ale zaciekawiłem się.

Fresia najwidoczniej musiała czuć się sfrustrowana, bo próbowała jeszcze coś w swoim stylu zasugerować.

— Zbliża się pierwsza selekcja do Nagrody Strega. Czy nie powinniśmy omawiać tych książek?

— Ej, wy młodzi, ciągle ta kultura, na szczęście nie zrobiła pani magisterium, inaczej zaproponowałaby mi pani esej krytyczny na pięćdziesiąt stron…

— Magisterium nie zrobiłam, ale czytam.

— Nie możemy zajmować się zbytnio kulturą, nasi odbiorcy nie czytają książek, co najwyżej „La Gazzetta dello Sport". Zgadzam się jednak, że nasz dziennik musi mieć stronę poświęconą nie tyle kulturze, ile — powiedzmy — kulturze i widowiskom. Ważne wydarzenia kulturalne należy jednak omawiać w formie wywiadu. Wywiad z autorem ma zawsze pokojowy charakter, bo żaden autor nie mówi źle o własnej książce, więc nie wystawiamy naszego czytelnika na krytyki druzgocące, zawistne i złośliwe. Wiele zależy też od pytań; nie trzeba za dużo mówić o książce, tylko przedstawiać pisarza lub pisarkę, uwzględniając także ich nawyki i słabości. Panno Fresia, pani ma za sobą piękne doświadczenia w zakresie czułych przyjaźni. Proszę pomyśleć o, fikcyjnym oczywiście, wywiadzie z jednym ze wstępujących dziś w szranki autorów; jeżeli książka opowiada o miłości, trzeba wydusić z autora lub autorki wspomnienia o ich pierwszych miłościach i najlepiej jeszcze jakąś złośliwość na temat innych kandydatów do nagrody. Niech pani zrobi z tej przeklętej książki coś ludzkiego, tak żeby zrozumiała ją każda gospodyni domowa; nie będzie miała wyrzutów sumienia, jeśli jej potem nie przeczyta. Zresztą kto czyta publikacje recenzowane w gazetach? Samym recenzentom rzadko się to zdarza. Należy się cieszyć, że książkę przeczytał jej autor, bo po zapoznaniu się z pewnymi dziełami trudno oprzeć się myśli, że nawet on tego nie zrobił.

— O mój Boże — powiedziała, blednąc, Maia Fresia. — Nigdy się nie uwolnię od przekleństwa czułych przyjaźni...

— Nie sądzi pani, że została sprowadzona tutaj po to, żeby pisać artykuły z dziedziny gospodarki lub polityki międzynarodowej.

— Domyślałam się tego. Miałam jednak nadzieję, że się mylę.

— No, proszę się nie gniewać, niech pani spróbuje tak napisać, wszyscy mocno w panią wierzymy.

VI

ŚRODA, 15 KWIETNIA

Przypominam sobie dzień, kiedy Cambria powiedział:

— Słyszałem w radiu, że według pewnych badań zanieczyszczenie atmosfery wpływa na wielkość penisa u młodych pokoleń. Problem dotyczy moim zdaniem nie tylko synów, ale i ojców, którzy pysznią się zawsze rozmiarami fiutków swoich męskich potomków. Pamiętam, że kiedy urodził się mój i pokazano mi go w pokoju noworodków w klinice, powiedziałem: „Ale ma chłop jaja!", i poszedłem obwieścić to kolegom.

— Wszystkie nowo narodzone dzieci mają ogromne jądra — powiedział Simei — i wszyscy ojcowie tak mówią. Wie pan też, że w klinikach mylą często karteczki, może więc w ogóle nie był to pański syn, przy całym szacunku dla pańskiej małżonki.

— Ale wiadomość dotyczy i ojców, bo podobno cierpią na tym również narządy rozrodcze dorosłych — mówił dalej Cambria. — Gdyby rozpowszechniła się wiara, że zanieczyszczenie atmosfery zagraża nie tylko wielorybom, lecz także... wybaczcie wyrażenie techniczne... ptaszkom, to sądzę, że doszłoby do nagłych nawróceń na ekologizm.

— Ciekawe — skomentował Simei — ale kto nam powie, że Prezes lub przynajmniej ludzie, na których mu zależy, są zainteresowani zmniejszeniem zanieczyszczenia atmosferycznego?

— Byłby to jednak sygnał alarmowy, godny najwyższego uznania.

— Być może, ale my nie alarmujemy — zareagował Simei — a to byłby zresztą terroryzm. Chciałby pan zakwestionować gazociągi, ropę naftową, nasz przemysł hutniczy? Nie jesteśmy w żadnym wypadku dziennikiem zielonych. Naszych czytelników mamy uspokajać, nie alarmować. — I po krótkim zastanowieniu: — Chyba że to, co szkodzi penisowi, produkuje firma farmaceutyczna, którą Prezes chciałby zaalarmować. Należałoby jednak każdy przypadek rozpatrzyć osobno. W każdym razie jeśli macie pomysły, mówcie o nich śmiało, później ja zadecyduję, czy warto je rozwinąć.

Nazajutrz Lucidi przyszedł do redakcji z gotowym już właściwie artykułem. Sprawa była następująca. Pewien jego znajomy otrzymał na papierze z nagłówkiem *Ordre Souverain Militaire de Saint-Jean de Jérusalem — Chevaliers de Malte — Prieuré Oecuménique de la Sainte-Trinité-de-Villedieu — Quartier Général de la Vallette — Prieuré de Québec* list, w którym proponowano mu godność kawalera maltańskiego w zamian za zwrot wysokich raczej kosztów oprawionego dyplomu, medalu, odznaki oraz innych dodatków. Lucidi postanowił zbadać bliżej zagadnienie zakonów rycerskich i porobił niezwykłe odkrycia.

— Posłuchajcie, istnieje raport karabinierów... mniejsza o to, jak do mnie trafił... demaskujący rzekome zakony maltańskie. Jest ich szesnaście, oprócz prawdziwego Suwerennego Rycerskiego Zakonu Szpitalników Świętego Jana Jerozolimskiego z Rodos i Malty, którego siedziba znajduje się w Rzymie. Wszystkie mają tę samą nazwę z minimalnymi różnicami, wszystkie uznają się lub nie uznają wzajemnie. W tysiąc dziewięćset ósmym roku Rosjanie zakładają w Stanach Zjednoczonych zakon, którym w bliższych nam czasach kieruje Jego Królewska Wysokość książę Robert Paternò Ayerbe Aragona, diuk Perpignan, głowa domu królewskiego Aragonii, pretendent do tronu Aragonii i Balearów, wielki mistrz Zakonu Łańcucha Orderu Świętej Agaty Paternò i Zakonu Korony Królewskiej Balearów. Od tego pnia oddziela się jednak w tysiąc dziewięćset trzydziestym czwartym roku pewien Duńczyk, który zakłada inny zakon, powierzając urząd kanclerza Piotrowi, księciu Grecji i Danii. W latach sześćdziesiątych porzuca pień rosyjski Paul de Granier de Cassagnac, powołuje zakon we Francji i wybiera na jego protektora byłego króla Jugosławii, Piotra II. W tysiąc dziewięćset sześćdziesiątym piątym roku były król Jugosławii, Piotr II, kłóci się z Cassagnakiem i zakłada w Nowym Jorku inny zakon, którego wielkim mistrzem zostaje Piotr, książę Danii i Grecji. W tysiąc dziewięćset sześćdziesiątym szóstym roku kanclerzem zakonu jest niejaki Robert Bassaraba von Brancovan Khimchiacvili; zostaje jednak usunięty i zakłada Zakon Ekumenicznych Rycerzy Maltańskich, którego cesarsko-królewskim protektorem będzie książę Henryk III Konstantyn Vigo Lascaris Aleramico Paleolog z Monferrato. Uważa się on za dziedzica tronu Bizancjum, księcia Tesalii; powoła później inny zakon maltański. Znajduję dalej Protektorat Bizantyjski, stworzony przez księcia Rumunii, Karola, który oddzielił się od Cassagnaców, oraz Wielką Prowincję, gdzie komandorem jest niejaki Tonna-Barthet; książę Jugosławii, Andrzej — były wielki mistrz zakonu założonego przez Piotra II — jest wielkim mistrzem Prowincji Rosyjskiej, która stanie się później Wielką Królewską Prowincją Malty i Europy. Istnieje też zakon stworzony w latach siedemdziesiątych przez jakiegoś barona de Choibert i Vittoria Busę, to jest Wiktora Timura II, prawosławnego arcybiskupa metropolitalnego Białegostoku, patriarchę diaspory zachodniej i wschodniej, prezydenta Republiki Gdańskiej i Demokratycznej Republiki Białoruskiej, wielkiego chana Tatarii i Mongolii. Jest ponadto Wielka Prowincja Międzynarodowa, ustanowiona w tysiąc dziewięćset siedemdziesiątym pierwszym roku przez wymienioną już Jego Królewską Wysokość Roberta Paternò i barona markiza Alaro, której wielkim protektorem zostaje w tysiąc dziewięćset osiemdziesiątym drugim roku inny Paternò — głowa Domu Cesarskiego, Leopardi Tomassini Paternò z Konstantynopola, dziedzic tronu Cesarstwa Wschodniorzymskiego, wyświęcony na prawowitego następcę przez Ortodoksyjny Katolicki Kościół Apostolski obrządku bizantyjskiego, markiz Monteaperto, palatyn tronu Polski. W tysiąc dziewięćset siedemdziesiątym pierwszym roku, po rozłamie w zakonie Bassaraby, pojawia się na Malcie Suwerenny Zakon Wojskowy Świętego Jana Jerozolimskiego (ten, od którego wyszedłem), a jego wysokim protektorem jest Aleksander Licastro Grimaldi Lascaris Comneno Ventimiglia, diuk La Chastre, suwerenny książę i markiz Déols, a wielkim mistrzem — markiz Karol Stivala di Flavigny, który po śmierci Licastra dokooptował Pierre'a Pasleau. Ten ostatni przybiera tytuły Licastra, ponadto przysługują mu następujące: Jego Wysokość Arcybiskup Patriarcha Ortodoksyjnego Kościoła Katolickiego Belgii, wielki mistrz Suwerennego Zakonu Wojskowego Świątyni Jerozolimskiej, wielki mistrz i hierofant masońskiego zakonu powszechnego obrządku wschodniego dawnego i pierwotnego Memphis-Misraim. Zapomniałbym: żeby być *à la page*, można by, jako potomek Jezusa Chrystusa, który poślubił Marię Magdalenę i stał się założycielem rodu Merowingów, zostać członkiem Prowincji Syjonu.

— Już same nazwiska tych osobistości wzbudziłyby sensację — powiedział zachwycony Simei, który pilnie robił notatki. — Pomyślcie tylko, proszę: Paul de Granier de Cassagnac, Licastro (tak pan powiedział?), Grimaldi Lascaris Comneno Ventimiglia, Karol Stivala di Flavigny…

— ...Robert Bassaraba von Brancovan Khimchiacvili — przypomniał triumfalnie Lucidi.

— Przypuszczam — dodałem — że wielu naszych czytelników próbowano czasem w ten sposób nabrać. Pomoglibyśmy im się obronić przed podobnymi machinacjami.

Simei zawahał się chwilę i powiedział, że musi to przemyśleć. Nazajutrz najwidoczniej już się poinformował i oświadczył nam, że nasz wydawca zaleca nazywanie go komandorem, ponieważ odznaczono go komandorią Świętej Marii Betlejemskiej.

— Otóż Zakon Świętej Marii Betlejemskiej to jeszcze jeden wymysł. Zakon właściwy nosi imię Świętej Marii Jerozolimskiej, *Ordo fratrum domus hospitalis Sanctae Mariae Teutonicorum in Jerusalem*, i figuruje w „Annuario Pontificio". Do niego też nie miałbym teraz zaufania, biorąc pod uwagę wszystkie kombinacje, do których dochodzi w Watykanie, lecz w każdym razie nie ulega wątpliwości, że komandor Świętej Marii Betlejemskiej to ktoś taki jak burmistrz baśniowej krainy obfitości. A wy chcecie, żebyśmy opublikowali serwis rzucający cień podejrzenia na komandorię naszego komandora lub wręcz ją ośmieszający? Pozostawmy każdemu jego miłe złudzenia. Przykro mi, panie Lucidi, ale pański piękny artykuł musimy wyrzucić do kosza.

— Chce pan powiedzieć, że każdy nasz artykuł musi się podobać Prezesowi? — spytał wyspecjalizowany w zadawaniu głupich pytań Cambria.

— Oczywiście — odpowiedział Simei — jest on naszym najważniejszym akcjonariuszem.

W tym miejscu Maia zebrała się na odwagę i zaproponowała ewentualne dochodzenie. Sprawa wyglądała następująco. W okolicach Porta Ticinese, gdzie krąży coraz więcej turystów, znajduje się pizzeria-restauracja pod nazwą Słoma i Siano. Mieszkająca niedaleko Maia przechodzi tamtędy od lat. I od lat ta pizzeria — bardzo obszerna, z ulicy widać przez szyby co najmniej sto miejsc — wydaje się zawsze przygnębiająco pusta, jedynie nieliczni turyści piją kawę przy stolikach na zewnątrz. A nie jest to lokal opuszczony. Maia zaszła tam raz z ciekawości; była sama, jeśli nie liczyć kilkuosobowej rodziny o dwadzieścia stolików dalej. Zamówiła spaghetti „słoma i siano", ćwiartkę białego wina i szarlotkę — wszystko w doskonałym gatunku i po rozsądnych cenach, kelnerzy nadzwyczaj uprzejmi. Skoro zatem taki duży lokal z personelem, kuchnią i tak dalej przez całe lata świeci pustkami, to jego właściciel, o ile jest osobą rozważną, powinien się go pozbyć. A jednak pizzeria Słoma i Siano jest nadal otwarta, dzień w dzień, chyba od dziesięciu lat, co daje około trzech tysięcy sześciuset pięćdziesięciu dni.

— To jakaś tajemnica — zauważył Costanza.

— Wcale nie — zareagowała Maia. — Wyjaśnienie jest oczywiste. Lokal należy do triad, mafii albo camorry, kupiono go za brudne pieniądze i stanowi dobrą, całkiem jawną inwestycję. Powiecie, że inwestycją jest sama wartość tego obiektu i że można by po prostu go nie otwierać, nie wydając więcej pieniędzy. Ale nie, lokal działa. Dlaczego?

— Dlaczego? — spytał niezastąpiony Cambria.

Odpowiedź dowodziła, że Maia ma sprawny móżdżek.

— Lokal służy do codziennego prania brudnych pieniędzy, napływających nieustannie. Co wieczór obsługujesz kilku klientów, ale też co wieczór wystawiasz tyle paragonów fiskalnych, jak gdyby było ich stu. Deklarujesz utarg i wpłacasz do banku... pewno nie do jednego, bo kartą kredytową nikt nie płacił... więc żeby z całą tą gotówką nie rzucać się w oczy, otworzyłeś sobie konta w dwudziestu różnych miejscach. Od tego zalegalizowanego już kapitału płacisz należne podatki, wcześniej odliczywszy maksymalne koszty prowadzenia interesu i zaopatrzenia (nie jest trudno o fałszywe rachunki).

Wiadomo doskonale, że przy praniu brudnych pieniędzy trzeba liczyć się ze stratą pięćdziesięciu procent. W ten sposób traci się o wiele mniej.

— Ale jak tego wszystkiego dowieść?

— Prosta sprawa — odpowiedziała Maia. — Idą na kolację dwie osoby ze Straży Skarbowej, najlepiej on i ona, wyglądają na parę zakochanych, jedzą i rozglądają się, widzą, że oprócz nich jest, przypuśćmy, jeszcze dwóch klientów. Następnego dnia Straż przeprowadza kontrolę i wykrywa, że wystawiono sto paragonów. No i co tamci będą mieli do powiedzenia?

— Nie jest to takie proste — zauważyłem. — Ta dwójka ze Straży idzie tam, powiedzmy, o ósmej, ale nawet jeśli dużo zje, musi wyjść o dziewiątej, bo inaczej wyda się podejrzana. Kto dowiedzie, że stu klientów nie przyszło między dziewiątą a północą? Straż musiałaby wysłać przynajmniej trzy lub cztery pary, żeby obstawić cały wieczór. Nazajutrz rano przeprowadza kontrolę i co się dzieje? Strażnicy się cieszą z wykrycia tych, którzy nie deklarują wpływów, ale co mogą zarzucić tym, którzy deklarują ich zbyt dużo? W restauracji usłyszą, że popsuła się maszynka do drukowania paragonów, że wyskoczyła ich nagle cała seria. I co wtedy, nowa kontrola? W restauracji nie ma głupich, rozpoznają już strażników i kiedy ci wrócą wieczorem, nie będzie drukowania fałszywych paragonów. Albo inny sposób: Straż przysyła swoich ludzi przez wiele wieczorów, karmiąc pizzą całą armię; wtedy może zdołałaby po roku sprawę załatwić, ale pewno nie starczyłoby jej cierpliwości, ma przecież także co innego do roboty.

— No cóż — zareplikowała urażona Maia — Straż Skarbowa znajdzie już jakiś sposób, my musimy tylko zasygnalizować problem.

— Moja śliczna — odezwał się dobrodusznie Simei — powiem pani, co się stanie, jeśli opublikujemy wyniki tego dochodzenia. Przede wszystkim będziemy mieli przeciw sobie Straż Skarbową, której pani zarzuca, że tego oszukaństwa nigdy nie dostrzegła; są to zaś ludzie, którzy umieją się zemścić, jeśli nie na nas, to już z pewnością na Prezesie. Po drugiej stronie, jak pani mówi, są triady, mafia, camorra i kto wie co jeszcze. Zdaje się pani, że zostawią nas w spokoju? Mamy w błogim nastroju czekać, aż podłożą nam bombę? I wie pani wreszcie, co pani powiem? Naszym czytelnikom spodoba się myśl, że można tanio zjeść w lokalu z powieści kryminalnej, Słoma i Siano wypełni się głuptakami i ostateczny wynik całej sprawy będzie taki, że dzięki nam restauracja rozkwitnie. Zatem do kosza. Proszę się nie denerwować i wrócić do horoskopów.

VII

Maia wyglądała na tak przygnębioną, że gdy wychodziłem, podszedłem do niej. Bezwiednie wziąłem ją pod ramię.

— Niech się pani nie przejmuje. Chodźmy, odprowadzę panią do domu, a po drodze czegoś się napijemy.

— Mieszkam nad kanałami, pełno tam barków, znam jeden, gdzie podają doskonały koktajl, bardzo mi smakuje. Dzięki.

Weszliśmy na nabrzeże Ripa Ticinese i pierwszy raz zobaczyłem kanały. Słyszałem o nich oczywiście, lecz byłem przekonany, że wszystkie już zasypano, a tymczasem wydało mi się, że jestem w Amsterdamie. Maia oświadczyła mi nie bez dumy, że Mediolan był kiedyś rzeczywiście podobny do Amsterdamu: kręgi kanałów dochodziły do śródmieścia. Miasto musiało być przepiękne, dlatego tak podobało się Stendhalowi. Potem ze względu na higienę kanały zasypano, zachowały się jeszcze tylko w tym miejscu; woda w nich zgniła, a dawniej wzdłuż brzegu pracowały praczki. Jednak idąc nieco w głąb, można było jeszcze zobaczyć zakątki ze starymi domami. Wiele z nich ma podłużne wspólne balkony z wejściami do mieszkań.

Także i takie domy były dla mnie po prostu *flatus vocis* albo obrazkami z lat pięćdziesiątych, kiedy zajmowałem się encyklopediami i musiałem pisać o inscenizacji *Naszego Mediolanu*

Bertolazziego w Teatrze Małym. Ale i wtedy myślałem, że stanowią wspomnienie XIX wieku.

Maia roześmiała się.

— W Mediolanie jest jeszcze pełno takich domów ze wspólnymi balkonami, tylko że nie są już one dla biedoty. Chodźmy, pokażę panu. — Wprowadziła mnie na obszerne podwórze. — Tutaj parter jest całkiem odnowiony, zajmują go sklepy drobnych antykwariuszy, w gruncie rzeczy handlarzy starzyzną, którzy udają ważnych i sprzedają drogo, oraz pracownie malarzy usiłujących się wybić. To wszystko dla turystów. Ale w górze te dwa piętra wyglądają dokładnie tak jak kiedyś.

Popatrzyłem na wyższe piętra otoczone żelaznymi poręczami, z drzwiami wychodzącymi na galerię, i spytałem, czy wywiesza się jeszcze bieliznę do suszenia.

Maia znowu się uśmiechnęła.

— Nie jesteśmy w Neapolu. Prawie wszystko zostało zmodernizowane. Kiedyś schody prowadziły bezpośrednio na galerię, skąd wchodziło się do mieszkań, w głębi był jeden ustęp na kilka rodzin, taki do siadania w kucki, o prysznicu i łazience można było tylko pomarzyć. Teraz wszystko jest przebudowane dla bogatych, w niektórych apartamentach jest nawet jacuzzi, ceny niebotyczne. Mniej płaci się tam, gdzie ja mieszkam. Dwupokojowy lokal, po ścianach ciekne woda, na szczęście wydłubano kąt na sedes i prysznic. Ubóstwiam jednak tę dzielnicę. Bez wątpienia tam też zaczną wkrótce przebudowywać i będę musiała się wynieść, bo nie starczy mi na czynsz. Chyba że „Jutro" szybko ruszy i zostanę zatrudniona na stałe. Dlatego znoszę te wszystkie upokorzenia.

— Proszę nie mieć żalu, Maiu, to jasne, że w fazie docierania trzeba zrozumieć, co mamy opowiadać, a czego nie. Ponadto Simei ponosi odpowiedzialność wobec gazety i wobec wydawcy. Kiedy zajmowała się pani czułymi przyjaźniami, może wszystko mogło się przydać, ale teraz jest inaczej, przygotowujemy dziennik.

— Więc właśnie. Miałam nadzieję, że wydobędę się z tego kręgu miłosnych śmieci, chciałam zostać poważną dziennikarką, ale chyba jestem przegrana. Nie ukończyłam studiów, bo dopóki rodzice żyli, chciałam im pomagać, potem było już za późno na dalsze studiowanie. Mieszkam w nędznej dziurze, nie będę nigdy wysłanniczką specjalną, powiedzmy, na wojnę w Zatoce Perskiej... Co robię? Układam horoskopy, nabieram łatwowiernych. Czy to nie bankructwo?

— Dopiero co zaczęliśmy; kiedy ruszymy pełną parą, osoba taka jak pani będzie miała inne możliwości. Pani sugestie były dotychczas świetne, spodobała mi się pani i sądzę, że spodobała się także Simeiemu.

Wiedziałem, że ją okłamuję; powinienem był powiedzieć, że weszła w ślepy zaułek, że nigdy nie wyślą jej do Zatoki, że chyba byłoby lepiej, gdyby uciekła, zanim będzie za późno, ale nie mogłem jeszcze bardziej jej przygnębiać. Spontanicznie zapragnąłem wyjawić prawdę, lecz nie o niej, tylko o sobie.

Ponieważ zamierzałem otworzyć przed nią serce jak poeta, instynktownie, prawie tego nie zauważając, przeszedłem na ty.

— Popatrz na mnie, ja też nigdy nie ukończyłem studiów, wykonywałem zawsze podrzędne zajęcia i trafiłem do gazety, kiedy stuknęła mi pięćdziesiątka. Ale wiesz, odkąd zacząłem być naprawdę przegrany? Odkąd zacząłem myśleć, że jestem przegrany. Gdybym tyle się nad tym nie zastanawiał, coś na pewno by mi się udało.

— Ma pan pięćdziesiąt lat? Nie wygląda pan na tyle, to znaczy nie wyglądasz.

— A ile byś mi dała, czterdzieści dziewięć?

— Nie, słuchaj, jesteś przystojnym mężczyzną i kiedy robisz nam wykłady, czuje się, że masz poczucie humoru. To dowód świeżości, młodości...

— Co najwyżej dowód mądrości, a więc podeszłego wieku.

— Nie, zauważa się, że nie wierzysz w to, co mówisz, ale najwidoczniej zgodziłeś się uczestniczyć w tej przygodzie i robisz to z cynizmem... jak by tu powiedzieć... pełnym wesołości.

Pełnym wesołości? To ona była połączeniem wesołości z melancholią i patrzyła na mnie (jak ująłby to kiepski pisarz) oczami sarenki.

Sarenki? Ależ idąc, patrzyła na mnie z dołu do góry, bo byłem od niej wyższy. Każda kobieta, która tak na ciebie patrzy, wydaje ci się dzieckiem.

Doszliśmy tymczasem do jej barku. Po chwili sączyła swój koktajl, ja odzyskałem spokój przy whisky. Patrzyłem znowu na kobietę, która nie jest prostytutką, i czułem, że młodnieję.

Chyba pod wpływem alkoholu zacząłem wylewnie jej się zwierzać. Od jak dawna nie zwierzałem się nikomu? Opowiedziałem jej, że miałem kiedyś żonę, która mnie potem rzuciła. Wyjawiłem, że podbiła mnie, ponieważ pewnego razu, na początku, narozrabiałem i starając się usprawiedliwić, prosiłem, żeby mi wybaczyła, bo może jestem głupi, a ona na to: kocham cię, choć jesteś głupi. Od takich rzeczy można oszaleć z miłości, ale później stwierdziła chyba, że moja głupota jest nie do zniesienia — i koniec pieśni.

Maia roześmiała się („co za piękne wyznanie miłości, kocham cię, choć jesteś głupi!") i opowiedziała mi, że chociaż jest młodsza i nigdy nie uważała się za głupią, to także miała nieszczęśliwe przeżycia miłosne, może dlatego, że nie potrafiła znieść głupoty partnera, albo dlatego, że wszyscy mężczyźni w jej wieku lub nieco starsi wydawali jej się niedojrzali.

— Jak gdybym ja była dojrzała. Widzisz, mam prawie trzydzieści lat i nadal jestem niezamężna. Chodzi o to, że nie umiemy nigdy zadowolić się tym, co mamy.

Trzydzieści lat? W czasach Balzaca kobieta trzydziestoletnia była już zwiędła. Maia wyglądałaby na dwadzieścia, gdyby nie drobne, cieniutkie zmarszczki wokół oczu; zdawało się, że musiała dużo płakać albo że jest uczulona na światło i zawsze mruży oczy w słoneczne dni.

— Nie ma większego sukcesu niż przyjemne spotkanie dwojga przegranych — powiedziałem i natychmiast poczułem niemal przerażenie.

— Głupi jesteś — odparła z wdziękiem. I zaraz przeprosiła w obawie, że za bardzo się spoufala.

— Nie, w porządku, nawet ci dziękuję, nikt nigdy nie nazwał mnie głupim w tak uwodzicielski sposób.

Posunąłem się za daleko. Na szczęście ona szybko zmieniła temat.

— Chcieliby tu bardzo upodobnić się do weneckiego Harry's Bar — powiedziała — a nie potrafią nawet należycie poustawiać trunków. Popatrz, wśród różnych gatunków whisky stoi gin Gordon, a giny Sapphire i Tanqueray są gdzie indziej.

— Co, gdzie? — spytałem, patrząc przed siebie i zauważając tylko inne stoliki.

— Nie tam — powiedziała — za bufetem, nie widzisz?

Odwróciłem się, miała rację, ale jak mogła myśleć, że ja dostrzegam to samo co ona? Była to tylko zapowiedź odkrycia, którego miałem dokonać później nie bez pomocy tego złośliwca Braggadocia. Wtedy nie przejąłem się tym zbytnio i skorzystałem z okazji, aby poprosić o rachunek. Potem powiedziałem kilka pocieszających zdań i odprowadziłem ją do bramy, przez którą widać było sień z pracownią wytwórcy materaców. Najwyraźniej tacy rzemieślnicy jeszcze istnieją mimo telewizyjnych reklam materaców sprężynowych.

Podziękowała mi.

— Teraz czuję się spokojna.

Z uśmiechem podała mi rękę. Dłoń była ciepła, wyrażała wdzięczność.

Wróciłem do domu, idąc wzdłuż kanałów starego Mediolanu, łaskawszego od Mediolanu Braggadocia. Postanowiłem lepiej poznać to miasto, które umiało tak mnie zadziwić.

VIII

PIĄTEK, 17 KWIETNIA

W następne dni wszyscy odrabiali lekcje (tak już przywykliśmy mówić), a Simei opowiadał nam o planach może nie na jutro, ale o których trzeba było zacząć myśleć.

— Nie wiem jeszcze, czy wejdzie to do numeru 0/1, czy do 0/2, choć nawet w 0/1 mamy nadal dużo białych stron. Nie mówię, że musimy wystartować z sześćdziesięcioma stronami jak „Corriere", jednak powinny być co najmniej dwadzieścia cztery. Kilka wypełnimy reklamami; nikt nam ich nie da, ale to nie szkodzi, weźmiemy z innych gazet, udając, że są nasze. Dzięki reklamom zleceniodawca nabiera zaufania, widzi w nich źródło przyszłych zysków.

— Potrzebna będzie także kolumienka nekrologów — zasugerowała Maia. — To również brzęcząca moneta. Proszę powierzyć ją mnie. Uwielbiam pozbawiać życia osoby o dziwnych nazwiskach, z niepocieszonymi rodzinami, ale najbardziej lubię żałobników przybocznych, dodatkowo opłakujących ważne osobistości. Niewiele ich obchodzą ani zmarli, ani ich rodziny, nekrolog wykorzystują do name dropping: widzicie, ja też go znałem.

Bystra i dowcipna jak zwykle. Po spacerze w tamten wieczór trzymałem ją jednak nieco na dystans, ona też się nie wychylała, czuliśmy się wzajemnie bezbronni.

— Zgoda na nekrologi — powiedział Simei — ale najpierw proszę skończyć horoskopy. Myślałem jednak o czymś innym.

74

O burdelach albo... jako że dzisiaj wszyscy mówią „burdel"
i nic to już nie znaczy... o starych domach publicznych. Pamiętam je, w tysiąc dziewięćset pięćdziesiątym ósmym roku,
kiedy zostały zamknięte, byłem już dorosły.

— I ja byłem już pełnoletni — odezwał się Braggadocio —
i kilka burdeli zdążyłem zaliczyć.

— Nie mam na myśli tego z ulicy Chiaravalle, burdelu
prawdziwego, z pisuarami przy wejściu, żeby wojsko mogło
przedtem sobie ulżyć...

— ...i gdzie podstarzałe kurwiszony krążyły rozkraczone,
pokazując język żołnierzom i przestraszonym prowincju-
szom, a burdelmama krzyczała: ruszajcie się, chłopaki, nie
podpierać mi tu ścian...

— Panie Braggadocio, proszę uważać, jest między nami
dama.

— Może więc, gdybyście już mieli pisać — zareagowała
bez cienia zakłopotania Maia — powinniście ująć to tak: he-
tery w dojrzałym wieku, mimicznie wyrażając lubieżność, spa-
cerowały ociężałe przed płonącymi żądzą klientami...

— Brawo, panno Fresia, niezupełnie tak, ale z pewnością
trzeba będzie wyrażać się oględniej. Także i dlatego, że mnie
pociągały zakłady bardziej szacowne, jak ten na ulicy San
Giovanni sul Muro, cały w stylu liberty, pełen intelektualistów, którzy chodzili tam — jak utrzymywali — nie po seks,
ale ze względu na historię sztuki...

— Albo ten na ulicy Fiori Chiari, cały w stylu art déco,
z wielobarwnymi kafelkami — powiedział Braggadocio głosem tchnącym melancholią. — Kto wie, ilu naszych czytelników nadal go pamięta.

— Ci zaś, którzy nie byli jeszcze w tamtych czasach pełnoletni, widzieli burdele w filmach Felliniego — dodałem, bo
kiedy wspomnień nie ma się w głowie, dostarcza nam ich
sztuka.

— Panie Braggadocio, proszę tym się zająć — podsumował Simei. — Proszę mi dostarczyć ładny opisowy artykuł, żywo przedstawiający środowisko, w duchu: dawne dobre czasy nie były takie złe.

— Ale właściwie dlaczego mamy przypominać burdele? — spytałem z powątpiewaniem. — Może to podniecić staruszków, ale zgorszy staruszki.

— Panie Colonna — powiedział Simei — coś panu wyjawię. Po zamknięciu domów publicznych w pięćdziesiątym ósmym roku ktoś kupił w latach sześćdziesiątych dawny burdel przy ulicy Fiori Chiari i urządził tam restaurację, bardzo wytworną, ze wszystkimi tymi wielobarwnymi kafelkami. Zachowano jednak jeden czy dwa pokoiki i pozłocono w nich bidety. Gdyby pan wiedział, ile podnieconych pań prosiło mężów, żeby im te klitki pokazali, chciały zrozumieć, jak w dawnych czasach bywało... Oczywiście nie trwało to wiecznie, panie też wreszcie się znudziły, a może kuchnia nie dorastała poziomem do reszty. Restaurację zamknięto i koniec pieśni. Ale proszę posłuchać, myślę o stronie na określony temat: po lewej artykuł Braggadocia, a po prawej reportaż o zaniedbanych alejach peryferyjnych, o krążących po nich bezwstydnie prostytutkach, przecież wieczorem nie można przejść tamtędy z dziećmi. Związku między obiema sprawami nie komentujemy, niech czytelnik sam wyciągnie wnioski, w głębi serca wszyscy chcieliby przywrócenia chroniących zdrowie domów publicznych; kobiety — bo nie życzą sobie, żeby mężowie zatrzymywali się w tych alejach i brali do samochodu dziwkę, która go zasmrodzi tanimi perfumami, mężczyźni — bo chętnie wemknęliby się do takiego przybytku, a jeśli ktoś by ich dostrzegł, mogliby zawsze powiedzieć, że zainteresowali się kolorytem lokalnym albo stylem liberty. Kto mi napisze reportaż o dziwkach?

Costanza powiedział, że on się tym zajmie, a wszyscy wyrazili zgodę. Jeżdżenie przez kilka nocy po alejach oznaczało spory wydatek na benzynę, pomijając już ryzyko, że dopadnie cię patrol obyczajówki.

Tego wieczoru wstrząsnęło mną spojrzenie Mai. Jakby zdała sobie sprawę, że wdepnęła w kłębowisko żmij. Dlatego też, przezwyciężywszy ostrożność, poczekałem, aż wyjdzie, postałem kilka minut na chodniku, mówiąc innym, że muszę zostać w śródmieściu, aby zajść do apteki — wiedziałem, którędy Maia będzie szła — i dogoniłem ją w pół drogi.

— Odchodzę, wynoszę się — powiedziała mi prawie z płaczem, drżąc na całym ciele. — Do jakiej gazety ja trafiłam? Moje czułe przyjaźnie nikomu przynajmniej nie szkodziły, co najwyżej wzbogacały damskich fryzjerów, do których panie chodziły także i po to, żeby czytać te moje pisemka.

— Maiu, nie przejmuj się, Simei eksperymentuje abstrakcyjnie, wcale nie jest pewne, że chce naprawdę to wszystko publikować. Jesteśmy w stadium inwencji, formułujemy hipotezy, scenariusze, to piękne doświadczenie. Nikt ci nie każe chodzić w przebraniu dziwki po alejach, żeby przeprowadzić wywiad z jedną z prawdziwych dziwek. Ale dziś wieczorem wszystko idzie ci na opak, musisz przestać o tym myśleć. Miałabyś chęć na kino?

— W tym grają film, który już widziałam.

— W którym tym?

— W tym, obok którego przed chwilą przeszliśmy, po drugiej stronie ulicy.

— Ale ja trzymałem cię pod rękę i patrzyłem na ciebie, nie patrzyłem na przeciwną stronę ulicy. Dobre sobie!

— Ty nigdy nie widzisz rzeczy, które widzę ja — powiedziała. — W każdym razie zgoda, idziemy do kina; kupmy gazetę i zobaczmy, co grają w pobliżu.

Poszliśmy obejrzeć film, z którego nic nie zapamiętałem, bo czując, że ona nadal drży, wziąłem ją w pewnej chwili za rękę, znowu ciepłą i wyrażającą wdzięczność. Siedzieliśmy jak para narzeczonych, ale takich z opowieści o rycerzach Okrągłego Stołu, którzy spali oddzieleni od dziewczyny mieczem.

Odprowadzając Maię do domu — była już w trochę lepszym nastroju — pocałowałem ją po bratersku w czoło i poklepałem w policzek, jak przystoi starszemu wiekiem przyjacielowi. W gruncie rzeczy (mówiłem sobie) mógłbym być jej ojcem.

Albo prawie.

IX

W tym tygodniu prace posuwały się z długimi przerwami. Wydawało się, że nikomu — z Simeim włącznie — nie śpieszy się do roboty. Zresztą mieliśmy zredagować dwanaście numerów w ciągu roku, nie numer dziennie. Ja czytałem pierwsze wersje artykułów, ujednolicałem styl, starałem się usuwać zbyt wyszukane wyrażenia. Simei akceptował:

— Proszę państwa, uprawiamy tu dziennikarstwo, nie literaturę.

— No właśnie — odezwał się Costanza — szerzy się teraz ta moda na telefony komórkowe. Wczoraj w pociągu siedziałem obok kogoś, kto rozmawiał długo o swoich stosunkach z bankiem, dowiedziałem się o nim wszystkiego. Ludzie chyba powariowali. Dobrze byłoby o tym napisać artykuł obyczajowy.

— Ta historia z komórkami — odpowiedział mu Simei — długo nie potrwa. Po pierwsze, są okropnie drogie, mało kto może sobie na nie pozwolić. Po drugie, ludzie odkryją wkrótce, że nie muszą koniecznie telefonować do wszystkich w każdej chwili, zabraknie im prywatnej rozmowy twarzą w twarz, a w końcu miesiąca zauważą, że rachunek za telefon niebotycznie wzrósł. To moda, która z pewnością przeminie za rok, najwyżej za dwa lata. Teraz komórki przydają się tylko cudzołożnikom, żeby mogli utrzymywać swoje związki, nie używając telefonu domowego, i może także hydraulikom, żeby można było do nich dzwonić, kiedy biegają po mieście. Nikomu innemu. Zatem nasi odbiorcy, którzy przeważnie komórkami nie dysponują, nie są takim artykułem zainteresowani. Tym nielicznym, którzy komórki mają, byłby on całkiem obojętny, mogliby co najwyżej wziąć nas za snobów, za salonowych radykałów.

— Nie tylko — włączyłem się — weźcie pod uwagę, że Rockefeller czy Agnelli albo prezydent Stanów Zjednoczonych telefonów komórkowych nie potrzebują, bo mają chmarę sekretarzy i sekretarek, która ich obsługuje. Ogół dostrzeże więc niebawem, że używają ich jedynie ludzie bardzo przeciętni, biedacy, z którymi musi się skontaktować bank, żeby ich zawiadomić o debecie na koncie, albo szef, żeby skontrolować, co robią. Komórka stanie się w ten sposób symbolem społecznej niższości i nikt nie będzie już chciał jej mieć.

— Nie byłabym taka pewna — powiedziała Maia. — To jak prêt-à-porter albo połączenie bluzki, dżinsów i apaszki: może sobie na nie pozwolić zarówno dama z najlepszego towarzystwa, jak i proletariuszka, tylko że proletariuszka nie umie skomponować odpowiednio całości lub sądzi, że dżinsy muszą błyszczeć nowością, i nie nosi tych wytartych na kolanach, a ponadto wkłada do nich buty na wysokim obcasie. I tak od razu widać, że nie jest damą z najlepszego towarzystwa. Ona jednak tego nie dostrzega i nadal nosi z zadowoleniem swoje źle dobrane łaszki, nie zauważając, że podpisuje w ten sposób na siebie wyrok.

— A ponieważ zostanie może czytelniczką „Jutra", dowie się od nas, że nie jest damą. Dowie się też, że jej mąż jest kimś bardzo przeciętnym albo cudzołożnikiem. Na dodatek może się zdarzyć, że w produkcję telefonów komórkowych wetknie nos prezes Vimercate, wtedy oddalibyśmy mu pięk-

ną przysługę. Reasumując: temat jest albo pozbawiony znaczenia, albo zbyt drażliwy. Wykreślamy go więc. Podobnie
wygląda sprawa z komputerem. Prezes pozwolił nam
wszystkim mieć po jednym, przydają się do pisania i gromadzenia danych, chociaż ja — człowiek starej daty — nigdy nie wiem, jak się do tego zabrać. Ale większość naszych
czytelników jest jak ja i komputera nie potrzebuje, bo nie
ma danych do gromadzenia. Nie wywołujmy u ludzi kom-
pleksów niższości.

Po zrezygnowaniu z elektroniki zaczęliśmy tego dnia czytać raz jeszcze pewien należycie poprawiony artykuł.
    Braggadocio zauważył:
    — Gniew Moskwy? Czy ciągłe używanie takich emfatycz-
nych wyrażeń nie jest banalne? Gniew prezydenta, wściek-
łość emerytów i tak dalej?
    — Nie — odparłem. — Takich właśnie wyrażeń czytelnik
oczekuje, inne gazety go przyzwyczaiły. Czytelnik rozumie,
co się dzieje, jedynie wtedy, kiedy mu się powie: mur trafia
na mur, rząd chce nam zgotować krew i łzy, droga wiedzie
stromo pod górę, prezydent z Kwirynału zamierza wypo-
wiedzieć wojnę, premier Craxi strzela ostrymi nabojami,
czas nagli, nie należy demonizować, nie ma co płakać nad
rozlanym mlekiem, woda sięga nam po szyję, czyli jesteśmy
w oku cyklonu. A polityk nie mówi, nie twierdzi stanowczo,
tylko grzmi, siły porządkowe zaś działają profesjonalnie.
    — Czy naprawdę musimy zawsze mówić o profesjona-
lizmie? — przerwała mi Maia. — Teraz wszyscy pracują profesjonalnie. Mistrz murarski, który wybudował mocno sto-
jący mur, z pewnością wykazał się profesjonalizmem, ale
fachowość powinna być czymś normalnym, pisać o sprawie
należałoby tylko wtedy, gdyby wybudowany przez kiepskiego majstra mur się zawalił. Kiedy sprowadzę hydraulika

i przepcha mi umywalkę, podziękuję mu, powiem „dziękuję, sprawny pan jest", ale nie będę mu mówić, że działał profesjonalnie. Miał może sknocić jak Pan Rurka w komiksie z Myszką Miki? To podkreślanie profesjonalizmu przy każdej okazji, jakby chodziło o coś nadzwyczajnego, każe myśleć, że normalnie ludzie wszystko partolą.

— I rzeczywiście — mówiłem dalej — czytelnik myśli, że normalnie ludzie wszystko partolą i że trzeba sygnalizować przypadki profesjonalnej roboty, co znaczy, że pracę dobrze wykonano, ale brzmi bardziej technicznie. Karabinierzy złapali złodzieja kur? Działali profesjonalnie.

— To tak jak sprawa z „dobrym papieżem". Przyjmuje się za pewnik, że poprzedni papieże byli źli.

— Ludzie musieli tak myśleć, inaczej nie nazwaliby go dobrym papieżem. Widzieliście kiedy zdjęcie Piusa XII? W filmach o 007 mógłby grać rolę szefa organizacji przestępczej Widmo.

— Ale dobrym papieżem nazwały Jana XXIII gazety, ludzie za nimi poszli.

— I słusznie. Gazety uczą ludzi, jak mają myśleć — wtrącił Simei.

— Gazety idą za poglądami ludzi czy je tworzą?

— Jedno i drugie, panno Fresia. Ludzie początkowo nie wiedzą, jakie mają poglądy, potem my im to mówimy, a oni dostrzegają, że je mieli. Nie filozofujmy zbytnio, pracujmy profesjonalnie. Panie magistrze Colonna, proszę mówić dalej.

— Tak — powiedziałem — uzupełniam swoją listę: wilk ma być syty i owca cała, ośrodek sterowania, wejść w szranki, wychodzić z tunelu, kłopot gotowy, święty Boże nie pomoże, miejmy się na baczności, chwast, który trudno wyrwać, zmienia się kierunek wiatru, telewizja bierze lwią część, a nam zostają okruchy, wróćmy na dobrą drogę, wskaźnik oglądalności spadł na łeb na szyję, dać mocny sygnał, słuchajmy rynku, w opłakanym stanie, o trzysta sześćdziesiąt stopni, bolesna zadra pod paznokciem, rozpoczął się masowy exodus z urlopów... A przede wszystkim trzeba przepraszać. Kościół anglikański przeprasza Darwina, stan Wirginia przeprasza za dramat niewolnictwa, Krajowe Przedsiębiorstwo Energii Elektrycznej przeprasza za złą obsługę, rząd kanadyjski przeprosił oficjalnie Inuitów. Nie należy mówić, że Kościół zrewidował swoje dawne poglądy na ruch obrotowy Ziemi, tylko: papież przeprasza Galileusza.

Maia przyklasnęła mi, mówiąc:

— To prawda, nigdy nie mogłam zrozumieć, czy ta moda na przepraszanie oznacza przypływ pokory, czy raczej przypływ bezczelności: robisz coś, czego robić nie powinieneś, potem przepraszasz i umywasz ręce. Przypomina mi się stary dowcip. Kowboj cwałuje przez prerię i słyszy głos z nieba, który każe mu jechać do Abilene, tam mówi mu, żeby wszedł do saloonu, a potem — żeby zagrał w ruletkę, stawiając wszystkie swoje pieniądze na numer pięć. Urzeczony niebiańskim głosem kowboj robi tak, wychodzi numer osiemnaście, a głos szepce: „Szkoda, przegraliśmy".

Roześmieliśmy się i przeszliśmy do innych spraw. Trzeba było dokładnie przeczytać i przedyskutować artykuł Lucidiego o wydarzeniach w Pio Albergo Trivulzio, zabrało nam to dobre pół godziny. Na koniec Simei w porywie szczodrości zamówił w barze na dole kawę dla wszystkich. Siedząca między mną a Braggadociem Maia szepnęła wtedy:

— Ja jednak zrobiłabym coś przeciwnego, to jest gdyby dziennik zwracał się do bardziej dojrzałych odbiorców, chętnie redagowałabym rubrykę o czymś przeciwnym.

— O czymś przeciwnym do tego, co napisał Lucidi? — zapytał podejrzliwie Braggadocio.

— Ależ nie, źle mnie zrozumieliście. O przeciwieństwach banałów.

— Tych, o których była mowa ponad pół godziny temu?

— No tak, ale ja dalej o nich myślałam.

— My już nie — powiedział sucho Braggadocio.

Maia nie wydawała się tą obiekcją poruszona, patrzyła na nas jak na pozbawionych pamięci.

— Mam na myśli przeciwieństwa oka cyklonu i grzmiącego ministra. Na przykład: Wenecja to Amsterdam Południa, wyobraźnia przewyższa niekiedy rzeczywistość, zaznaczam, że jestem rasistą, narkotyki ciężkie to przedpokój lekkich, czuj się jak u mnie w domu, proponuję, żebyśmy mówili do siebie per pan, nieszczęśliwy, kto cieszy się tym, co ma, jestem zdziecinniały, ale nie stary, dla mnie chińszczyzna to matematyka, sukces mnie zmienił, w gruncie rzeczy Mussolini zrobił wiele paskudztw, Paryż jest brzydki, ale paryżanie są nadzwyczaj mili, w Rimini wszyscy siedzą na plaży, nikt nigdy nie zagląda do dyskoteki, przeniósł cały swój kapitał do Pacanowa.

— Tak, a całym grzybem zatruła się jedna rodzina. Skąd pani bierze te wszystkie brednie? — spytał Braggadocio, jakby był kardynałem Hipolitem d'Este rozmawiającym ze swoim sługą Ariostem.

— Część ich była w książeczce wydanej kilka miesięcy temu — powiedziała Maia. — Wybaczcie mi jednak, do „Jutra" z pewnością nie pasują. W nic nie mogę utrafić. Chyba pora wracać do domu.

— Słuchaj — powiedział mi potem Braggadocio — chodź ze mną, umieram z chęci opowiedzenia ci czegoś. Jeśli nie opowiem, to pęknę.

Pół godziny później byliśmy znowu w tawernie Moriggi. Podczas spaceru Braggadocio nie chciał jeszcze odsłonić mi rąbka tajemnicy, napomknął tylko:

— Zrozumiałeś, na jaką chorobę cierpi ta Maia. To autyzm.

— Autyzm? Ależ cierpiący na autyzm są zamknięci w sobie, nie komunikują się z innymi. Czyż ona taka jest?

— Czytałem o doświadczeniu dotyczącym pierwszych objawów autyzmu. Przyjmijmy, że w pokoju jesteśmy ja, ty i Piotruś, dziecko dotknięte autyzmem. Mówisz mi, żebym schował gdzieś kulkę, a potem wyszedł. Chowam kulkę do wazonu. Po moim wyjściu ty wyjmujesz kulkę z wazonu i wsadzasz ją do szuflady. Następie pytasz Piotrusia: kiedy wróci pan Braggadocio, gdzie poszuka kulki? A Piotruś powie: w szufladzie. Prawda? Co znaczy, że Piotruś nie uważa, iż w moim umyśle kulka jest jeszcze w wazonie, ponieważ w jego umyśle ona jest już w szufladzie. Piotruś nie potrafi postawić się na czyimś miejscu, jest przekonany, że wszyscy mają w głowie to samo, co ma w głowie on.

— Przecież to nie jest autyzm.

— Nie wiem, co to jest, może łagodna forma autyzmu; ludzi przewrażliwionych też można uważać za paranoików pierwszego stopnia. Ale Maia taka jest, nie umie postawić się na miejscu kogoś innego, myśli, że wszyscy myślą to samo co ona. Pamiętasz, jak kilka dni temu powiedziała w pewnej chwili, że on nie ma z tym nic wspólnego, a ten on to był ktoś, o kim rozmawialiśmy godzinę wcześniej. Ona nadal o nim myślała lub przypomniała go sobie w tamtej chwili, ale nie sądziła, że my mogliśmy już o nim nie myśleć. Jest co najmniej pomylona, ja ci to mówię. A ty, kiedy zabiera głos, wciąż na nią patrzysz, jakby była wyrocznią...

Wydało mi się to głupim gadaniem, więc uciąłem krótko żartobliwą repliką:

— Wyrocznie są zawsze dziełem pomylonych. Może ona pochodzi od Sybilli z Kume.

W tawernie Braggadocio zaczął wreszcie mówić na właściwy temat.

— Mam w rękach scoop, dzięki któremu można by sprzedać sto tysięcy egzemplarzy „Jutra", gdyby dziennik był już na rynku. Właśnie, potrzebuję rady. Mam dać to, co teraz odkrywam, Simeiemu czy próbować sprzedać innej gazecie, takiej prawdziwej? To bomba, dotyczy Mussoliniego.

— Nie wygląda mi na sprawę wysoce aktualną.

— Jej aktualność polega na ustaleniu, czy ktoś dotąd nas nie oszukiwał: czy nie oszukiwał wielu, a właściwie wszystkich.

— W jakim sensie?

— To długa historia, obecnie tylko hipoteza, a ja bez samochodu nie mogę dotrzeć tam, gdzie powinienem, i wypytać żyjących jeszcze świadków. W każdym razie wyjdźmy od faktów ogólnie znanych, potem ci powiem, dlaczego moja hipoteza wydaje się racjonalna.

Braggadocio streścił mi następnie w zwięzły sposób to, co nazywał wersją powszechnie przyjętą, zbyt prostą jego zdaniem, aby mogła być prawdziwa.

A więc alianci przełamali Linię Gotów i posuwają się w stronę Mediolanu, wojna jest już przegrana. Osiemnastego kwietnia 1945 roku Mussolini opuszcza siedzibę nad jeziorem Garda i przybywa do Mediolanu, gdzie chroni się w prefekturze. Naradza się jeszcze ze swoimi ministrami nad możliwością dalszego oporu w umocnieniach Valtelliny, lecz zdaje sobie sprawę, że to już koniec. Dwa dni później udziela ostatniego w swoim życiu wywiadu ostatniemu ze swoich najwierniejszych, Gaetanowi Cabelli, który redagował ostatnią gazetę Włoskiej Republiki Socjalnej, „Popolo di Alessandria". Dwudziestego drugiego kwietnia wygłasza do grupy oficerów Gwardii Republikańskiej swoją ostatnią mowę, oświadczając podobno, że „kiedy ginie ojczyzna, nie warto dłużej żyć".

W następnych dniach sojusznicy docierają do Parmy, wolna jest już Genua, wreszcie rankiem pamiętnego dnia, dwudziestego piątego kwietnia, robotnicy zajmują fabryki w Sesto San Giovanni. Po południu Mussolini wraz z kilkoma swoimi ludźmi — jest wśród nich generał Graziani — zostaje przyjęty przez kardynała Schustera i dzięki niemu spotyka się z delegacją Komitetu Wyzwolenia Narodowego. Podobno po zakończeniu zebrania Sandro Pertini, który się spóźnił, spotkał na schodach Mussoliniego, ale może to tylko legenda. Komitet Wyzwolenia żąda bezwarunkowej kapitulacji, zaznaczając, że już z nim pertraktują sami Niemcy. Faszyści (ostatni są zawsze najbardziej zdesperowani) nie chcą poddać się w tak haniebny sposób, żądają czasu do namysłu i odchodzą.

Wieczorem przywódcy Ruchu Oporu nie mogą już czekać, aż przeciwnicy się namyślą, i nakazują ogólne powstanie. Wtedy Mussolini wraz z konwojem najwierniejszych ucieka w kierunku Como.

Do Como przyjechała także jego żona Rachele oraz dzieci — Romano i Anna Maria — lecz Mussolini z niewiadomego powodu nie chce się z nimi widzieć.

— Dlaczego? — zwraca moją uwagę Braggadocio. — Czy dlatego, że czekał na przybycie kochanki, Claretty Petacci? Przecież ona jeszcze nie przyjechała, co by mu szkodziło porozmawiać przez dziesięć minut z rodziną? Zapamiętaj sobie ten szczegół, bo stąd właśnie zrodziły się moje podejrzenia.

Como wydało się Mussoliniemu miejscem pewnym, ponieważ mówiono, że w okolicy jest mało partyzantów, że można tam się ukryć aż do nadejścia aliantów. Mussoliniemu chodziło bowiem przede wszystkim o to, aby nie wpaść w ręce partyzantów, tylko poddać się aliantom, którzy przyznaliby mu prawo do regulaminowego procesu, no i zobaczyłoby się, co dalej. A może sądził, że z Como łatwiej dotrzeć do Valtelliny, bo jego najwierniejsi, w rodzaju Pavoliniego, obiecywali mu, że zorganizują tam silny opór z udziałem kilku tysięcy ludzi.

— Rezygnuje jednak z pobytu w Como. Wybacz, że nie opowiem ci o bezładnym przemieszczaniu się tego przeklętego konwoju, bo sam nie mogę się w tym połapać, a dla mojego śledztwa nie ma znaczenia, dokąd oni pojechali i skąd wrócili. Powiedzmy, że kierują się na Menaggio, próbując może dotrzeć do Szwajcarii; potem przybywają do Cardano, gdzie do konwoju przyłącza się Claretta Petacci, pojawia się też niemiecka eskorta, której Hitler rozkazał prowadzić swojego przyjaciela w stronę Niemiec (może w Chiavennie czekał na niego samolot, którym miał lecieć do Bawarii). Ktoś utrzymuje jednak, że do Chiavenny nie sposób dojechać, konwój wraca do Menaggio, w nocy przybywa Pavolini, który miał dotrzeć z posiłkami, ale towarzyszy mu tylko siedmiu lub ośmiu ludzi z Narodowej Gwardii Republikańskiej. Duce czuje, że jest tropiony, nie marzy już o oporze w Valtellinie, nie pozostaje mu nic innego, jak tylko przyłączyć się wraz z faszystowskimi dostojnikami i ich rodzinami do jednej z kolumn niemieckich usiłujących przekroczyć Alpy. To dwadzieścia osiem ciężarówek pełnych żołnierzy, z karabinami maszynowymi na każdej, plus kolumna włoska złożona z samochodu pancernego i około dziesięciu zwykłych aut. Ale w Musso nieopodal Dongo kolumna trafia na ludzi z oddziału Puecher Pięćdziesiątej Drugiej Brygady Garibaldi. Było ich bardzo niewielu pod dowództwem Pedra — hrabiego Piera Luigiego Belliniego delle Stelle, z komisarzem politycznym Billem — Urbanem Lazzaro. Pedro jest zuchwały i desperacko zaczyna blefować. Wmawia Niemcom, że wokół nich w górach roi się od partyzantów, grozi, że otworzy ogień z moździerzy, które są przecież w rękach Niemców, zauważa, że dowódca próbuje mu się przeciwstawić, ale żołnierze już się boją, chcą tylko ratować skórę i wracać do domu, więc jeszcze bardziej podnosi głos... I tak po długich targach, po nerwowych pertraktacjach, które tu przemilczam, Pedro przekonuje Niemców nie tylko do uznania się za zwyciężonych, ale i do porzucenia ciągnących za nimi Włochów. Tylko pod tym warunkiem pojadą dalej do Dongo, gdzie będą jednak musieli się zatrzymać i poddać ogólnej rewizji. Niemcy postępują więc po świńsku wobec swoich sprzymierzeńców, ale każdemu droga jest własna skóra.

Pedro żąda wydania Włochów nie tylko dlatego, że jest pewien, iż są to faszystowscy dostojnicy, lecz także dlatego, że zaczynają krążyć słuchy, iż jest wśród nich sam Mussolini. Pedro w to wierzy i nie wierzy, idzie pertraktować z dowódcą samochodu pancernego — podsekretarzem stanu w Radzie Ministrów (martwej już Republiki Socjalnej), inwalidą wojennym szczycącym się złotym medalem za odwagę, Barracu, który w gruncie rzeczy wywiera na rozmówcy dobre wrażenie. Barracu chciałby jechać w kierunku Triestu, aby ratować miasto przed inwazją jugosłowiańską. Pedro tłumaczy mu grzecznie, że chyba jest niespełna rozumu, bo do Triestu nigdy by nie dotarł, a gdyby nawet, to byłoby ich zaledwie kilku przeciw całej armii Tito; wtedy Barracu prosi, żeby pozwolić mu zawrócić i połączyć się Bóg wie gdzie z Grazianim. Pedro w końcu (po zrewidowaniu samochodu pancernego i stwierdzeniu, że nie ma tam Mussoliniego) przychyla się do tej prośby, bo pragnie uniknąć strzelaniny, która mogłaby ponownie ściągnąć Niemców. Odchodząc, nakazuje jednak swoim ludziom dopilnować, aby samochód pancerny rzeczywiście zawrócił, lecz jeśli pojedzie choćby tylko dwa metry do przodu, niech zaczynają strzelać. Otóż samochód rusza do przodu, strzelając, a może rusza po to tylko, żeby zaraz zacząć się cofać, kto wie, jak to właściwie było, w każdym razie zdenerwowani partyzanci otwierają ogień, następuje krótka wymiana strzałów, dwóch faszystów ginie, dwóch partyzantów jest rannych. Na koniec jadący zarówno samochodem pancernym, jak i pozostałymi wozami zostają aresztowani. Pavolini próbuje uciec, skacze do jeziora, ale łapią go i dołączają do innych jak zmokłą kurę.

Wtedy Pedro otrzymuje wiadomość od Billa z Dongo. Podczas rewizji niemieckich ciężarówek zawołał go jeden z partyzantów, Giuseppe Negri, i powiedział, że „jest tam Głowacz", czyli że jest tam ten z dużą głową, a więc że jego zdaniem pewien dziwny żołnierz w hełmie, w okularach słonecznych i z postawionym kołnierzem płaszcza, to nikt inny jak Mussolini. Bill idzie sprawdzić, dziwny żołnierz udaje głupiego, lecz w końcu zostaje zdemaskowany, to naprawdę on — Duce. Bill, nie wiedząc dobrze, co robić, stara się w historycznej chwili stanąć na wysokości zadania i mówi mu: „W imieniu ludu włoskiego aresztuję pana". I prowadzi go do urzędu gminy.

Tymczasem w Musso wśród samochodów Włochów trafia się wóz z dwiema kobietami, dwojgiem dzieci i facetem, który utrzymuje, że jest konsulem hiszpańskim i że ma w Szwajcarii ważne spotkanie z bliżej nieokreślonym angielskim agentem. Jego dokumenty wydają się jednak fałszywe i mimo głośnych protestów nie zostaje zwolniony.

Pedro i jego ludzie przeżywają historyczne chwile, lecz początkowo jakby nie zdawali sobie z tego sprawy. Dbają tylko o zachowanie porządku, o zapobieżenie samosądom, zapewniają więźniów, że nie spadnie im włos z głowy i że zostaną przekazani rządowi włoskiemu, jak tylko uda się nawiązać z nim łączność. I rzeczywiście dwudziestego siódmego kwietnia po południu Pedrowi udaje się przetelefonować wiadomość o aresztowaniach do Mediolanu. Wtedy wkracza do akcji Komitet Wyzwolenia, który otrzymał właśnie telegram od aliantów: należy przekazać im Duce i wszystkich członków rządu Republiki Socjalnej — zgodnie z klauzulą umowy o zawieszeniu broni, podpisanej w 1943 roku przez Badoglia i Eisenhowera („Benito Mussolini i jego główni faszystowscy wspólnicy... którzy obecnie znajdują się lub w przyszłości znajdować się będą na terytorium pod kontrolą Dowództwa Sił Sojuszniczych lub Rządu Włoskiego, zostaną niezwłocznie aresztowani i przekazani Siłom Narodów Zjednoczonych"). Mówiono też, że na lotnisku Mediolan-Bresso ma wylądować samolot, który zabierze dyktatora. Komitet Wyzwolenia był przekonany, że Mussolini z rąk aliantów wyszedłby cało, osadziliby go pewno w jakiejś twierdzy na kilka lat, a później wróciłby na scenę. Luigi Longo (przedstawiciel komunistów w Komitecie) powiedział zaś, że Mussoliniego należy ukatrupić od razu, w haniebny sposób, bez procesu i historycznych przemów. Większość Komitetu czuła, że kraj potrzebuje natychmiast symbolu, konkretnego symbolu, aby zrozumieć, że dwie dekady dyktatury rzeczywiście się skończyły; miało nim być martwe ciało Duce. Ponadto obawiano się nie tylko tego, że Mussolinim zawładną alianci, lecz i tego, że jeśli jego los będzie nieznany, jego obraz pozostanie jako obecność niematerialna, a jednak kłopotliwa, na wzór Fryderyka Barbarossy z legendy, zamkniętego w jaskini, gotowego ożywić wszelkie marzenia o powrocie do przeszłości.

— I zobaczysz niebawem, że ci z Mediolanu mieli rację... Nie wszyscy jednak byli tego samego zdania. Spośród członków Komitetu generał Cadorna skłaniał się ku zadośćuczynieniu żądaniom aliantów, ale został przegłosowany. Komitet zdecydował, że do Como uda się misja, aby przeprowadzić egzekucję Mussoliniego. Grupą tą dowodzili, według ogólnie przyjętej wersji, wypróbowany komunista pułkownik Valerio i komisarz polityczny Aldo Lampredi. Oszczędzę ci wszelkich hipotez alternatywnych, na przykład tej, że wykonawcą wyroku był nie Valerio, lecz ktoś od niego ważniejszy. Szeptano nawet, że prawdziwym wykonawcą był syn Matteottiego* albo że strzelał Lampredi, rzeczywisty mózg misji. I tak dalej. Przyjmijmy jednak za wiarygodne to, co ujawniono w tysiąc dziewięćset czterdziestym siódmym roku: że Valeriem był księgowy Walter Audisio, który jako bohater wszedł później do parlamentu z ramienia Partii Komunistycznej. Dla mnie mógł to być Valerio lub kto inny, nie zmienia to istoty sprawy, mówmy zatem dalej o Valeriu. A więc Valerio ze swoim plutonem wyjeżdża do Dongo. Pedro nie wie, że niebawem się pojawi, i decyduje się tymczasem ukryć Duce w obawie, że jakiś zabłąkany oddział faszystowski może próbować go uwolnić. Aby utrzymać w tajemnicy miejsce pobytu więźnia, postanawia przewieźć go najpierw… z zachowaniem środków ostrożności, ale zakładając, że wiadomość o tym się rozejdzie… nieco bardziej w głąb, do koszar Straży Skarbowej w Germasino. Stamtąd zabierze się potem Duce nocą i dostarczy w inne miejsce w okolicach Como, znane jedynie bardzo niewielu.

W Germasino Pedro ma sposobność zamienienia kilku słów z aresztantem, który prosi go, aby pozdrowił w jego imieniu jedną z pań podróżujących samochodem hiszpańskiego konsula; ociągając się nieco, przyznaje, że chodzi o Clarettę Petacci. Pedro spotka później Clarettę, która najpierw usiłuje podawać się za kogoś innego, lecz potem ustę-

---

* Giacomo Matteotti — polityk włoski, socjalista, zamordowany przez faszystów w 1924 roku.

puje i mu się zwierza, opowiadając o swoim życiu u boku Duce i błagając, aby okazał jej najwyższą łaskę i pozwolił połączyć się z ukochanym. Zakłopotany i wzruszony tym ludzkim dramatem Pedro naradza się ze swoimi współpracownikami i wyraża zgodę. Claretta uczestniczy więc w nocnym transporcie Mussoliniego, jednak do wyznaczonego nowego miejsca w ogóle nie docierają, ponieważ nadchodzi wiadomość, że w Como są już alianci, którzy likwidują ostatnie faszystowskie gniazdo oporu. Złożony z dwóch samochodów konwój zmierza zatem znowu w kierunku północnym. Zatrzymuje się w Azzano i pasażerowie odbywają krótki spacer do domostwa zaufanej rodziny De Maria, gdzie Mussolini i Claretta zostają umieszczeni w pokoiku z małżeńskim łożem.

Pedro nie wie, że widzi Mussoliniego po raz ostatni. Wraca do Dongo, gdzie na placu zjawia się ciężarówka pełna uzbrojonych ludzi w nowiutkich mundurach, jakże odmiennych od podartych i niejednolitych strojów jego partyzantów. Przybysze stają w szeregu przed urzędem gminy. Ich dowódca przedstawia się jako pułkownik Valerio, oficer oddelegowany z pełnomocnictwem Komendy Głównej Ochotniczego Korpusu Walki o Wolność, okazuje nieskazitelne listy uwierzytelniające i oświadcza, że przysłano go, aby rozstrzelał wszystkich więźniów, bez wyjątku. Pedro próbuje oponować, prosi, aby więźniowie zostali przekazani tym, którzy będą mogli przeprowadzić regulaminowy proces, ale Valerio powołuje się na swój stopień, każe dostarczyć sobie listę aresztowanych i obok każdego nazwiska stawia czarny krzyżyk. Pedro widzi, że na śmierć skazano także Clarettę Petacci; protestuje, mówiąc, że jest tylko kochanką dyktatora, lecz Valerio odpowiada, że takie są rozkazy mediolańskiej komendy.

— Zwróć dobrze uwagę na ten szczegół wynikający jasno z pamiętników Pedra, bo w innych wersjach Valerio utrzymuje, że Claretta objęła mocno swojego mężczyznę, on kazał jej się odsunąć, ona nie usłuchała i została zabita, że tak powiem, przez pomyłkę albo z nadmiaru gorliwości. Faktem jest, że ją także już skazano, ale nie o to właściwie chodzi, Valerio opowiada różne rzeczy i nie można mu ufać.

Powstaje potem pewne zamieszanie. Powiadomiony o obecności rzekomego konsula hiszpańskiego, Valerio chce go zobaczyć, zwraca się doń po hiszpańsku, ten jednak nie potrafi odpowiedzieć, co oznacza, że nie całkiem z niego Hiszpan. Valerio policzkuje go gwałtownie, uznaje za Vittoria Mussoliniego, każe Billowi zaprowadzić na brzeg jeziora i rozstrzelać. Bill zamierza wypełnić polecenie, ale wtedy ktoś rozpoznaje w tym człowieku Marcella Petacciego, brata Claretty. Bill prowadzi go z powrotem, on bredzi o swoich zasługach dla kraju, o tajnej broni, którą jakoby odkrył, nie donosząc o tym Hitlerowi; na próżno, Valerio także jego zalicza do grupy skazanych na śmierć.

Nieco później idzie ze swoimi ludźmi do domu rodziny De Maria, zabiera Mussoliniego z Clarettą i wiezie ich samochodem w alejkę w Giulino di Mezzegra, gdzie każe im wysiąść. Wydaje się, że Mussolini początkowo sądził, iż Valerio przyszedł go uwolnić, i dopiero później pojął, co go czeka. Valerio stawia go pod ogrodzeniem z żelaznej kraty i odczytuje wyrok, usiłując (tak później powie) oddzielić go od Claretty, która rozpaczliwie czepia się kochanka. Valerio próbuje strzelać, jego pistolet maszynowy zacina się, więc bierze inny od Lamprediego i ładuje pięć kul w skazańca. Potem powie, że Claretta znalazła się niespodziewanie na linii ognia i została zabita przez pomyłkę. Jest dwudziesty ósmy kwietnia.

— Wiemy o tym wszystkim z ust Valeria. Według niego Mussolini skończył jak wrak człowieka, według powstałych następnie legend miał rozpiąć płaszcz, wołając: celujcie w serce! W rzeczywistości nikt nie wie, co zdarzyło się w tej alejce — nikt oprócz wykonawców wyroku, sterowanych także i później przez Partię Komunistyczną".

Valerio wraca do Dongo i przeprowadza egzekucję wszystkich innych faszystowskich dostojników. Barracu prosi, aby nie strzelano mu w plecy, ale zostaje wepchnięty do grupy pozostałych. Valerio umieszcza w niej także Petacciego, lecz wszyscy inni protestują, uważając go za zdrajcę, kto wie, czego ten typ nie namieszał. Zapada decyzja, że rozstrzela się go osobno. Kiedy inni już leżą martwi, Petacci wyrywa się i ucieka w stronę jeziora. Chwytają go; wyrywa się raz jeszcze, skacze do wody, płynie desperacko, aż ginie zabity serią z pistoletu maszynowego i strzałami z karabinów. Pedro, który nie chciał, aby jego ludzie uczestniczyli w rozstrzeliwaniu, każe później wyłowić trupa i załadować go na tę samą ciężarówkę, na którą Valerio załadował resztę ciał. Ciężarówka jedzie potem do Giulino po zwłoki Duce i Claretty, a stamtąd do Mediolanu, gdzie dwudziestego dziewiątego kwietnia cały ładunek zostanie złożony na placu Loreto — tam, gdzie prawie rok wcześniej rzucono ciała rozstrzelanych partyzantów; faszyści zostawili je w słońcu przez cały dzień, nie pozwalając członkom rodzin ich zabrać.

W tym miejscu Braggadocio złapał mnie za ramię i ścisnął tak silnie, że musiałem oswobodzić się szarpnięciem.

— Przepraszam — powiedział — ale dochodzę właśnie do sedna. Słuchaj uważnie. Ludzie, którzy znali Mussoliniego, po raz ostatni widzieli go publicznie tamtego popołudnia, gdy przebywał w siedzibie arcybiskupa Mediolanu. Odtąd podróżował sam ze swoimi najwierniejszymi, a odkąd przygarnęli go Niemcy, potem zaś aresztowali partyzanci, nie miał już z nim do czynienia nikt, kto znał go osobiście; ci ludzie znali go tylko ze zdjęć i filmów propagandowych, a na fotografiach z dwóch ostatnich lat wyglądał tak chudo i słabo, że mówiono niezbyt nawet cichym szeptem: to już nie on. Wspominałem ci o tym ostatnim wywiadzie udzielonym Cabelli dwudziestego kwietnia, który Mussolini przeczytał i podpisał dwudziestego drugiego, pamiętasz? Cabella pisze w swoich pamiętnikach: „Spostrzegłem od razu, że wbrew krążącym pogłoskom Mussolini cieszy się doskonałym zdrowiem. Wyglądał bez porównania lepiej, niż kiedy widziałem go ostatnim razem w grudniu tysiąc dziewięćset czterdziestego czwartego roku, przy okazji jego przemówienia w mediolańskim Teatrze Lirycznym. Kiedy przyjmował mnie poprzednio — w lutym, w marcu i w sierpniu czterdziestego czwartego roku — nigdy nie wydał mi się w tak dobrym zdrowiu. Cerę miał świeżą, był opalony, oczy żywe, szybkie ruchy. Przytył też nieco, w każdym razie zniknęła owa chudość, która tak mnie uderzyła w lutym minionego roku, twarz miał wtedy wymizerowaną, jakby wyniszczoną chorobą". Przyjmijmy nawet, że Cabella jako propagandysta chce przedstawić rozmawiającego z nim Duce w pełni sił, ale posłuchaj teraz, poczytajmy pamiętniki Pedra, gdzie mowa o jego pierwszym spotkaniu z Mussolinim pod aresztem: „Siedzi na prawo od drzwi, obok wielkiego stołu. Gdybym nie wiedział, że to on, może bym go nie rozpoznał. Jest stary, wychudły, wystraszony. Oczy prawie w słup, nie może prosto patrzeć. Obraca głową to w jedną, to w drugą stronę dziwnym skokowym ruchem, rozglądając się wokoło, jakby się bał…". No dobrze, dopiero co go aresztowano, pewno, że się boi, ale minął zaledwie tydzień od dnia wywiadu i jeszcze kilka godzin wcześniej Duce był przekonany, że uda mu się przekroczyć granicę. Sądzisz, że ktoś może tak schudnąć w siedem dni? A zatem człowiek, który rozmawiał z Cabellą, i ten, który rozmawiał z Pedrem, to nie ta sama osoba. Zauważ, że Mussoliniego nie znał osobiście nawet Valerio, który poszedł zastrzelić mit, obraz, człowieka koszącego zboże i wypowiadającego wojnę...

— Chcesz mi więc powiedzieć, że Mussolinich było dwóch...

— Idźmy dalej. Wiadomość o przywiezieniu rozstrzelanych rozchodzi się po mieście, plac Loreto wypełnia po części świętujący, po części rozwścieczony tłum, ludzie cisną się, w tłoku depcą po trupach, oszpecają je, obrzucają wyzwiskami, plują na nie, kopią. Pewna kobieta strzela do zwłok Mussoliniego pięć razy z pistoletu, aby pomścić swoich pięciu synów, którzy zginęli na wojnie, inna oddaje mocz na ciało Claretty. W końcu ktoś interweniuje: aby uchronić te zwłoki przed dalszą masakrą, zostają one powieszone za nogi na kracie nad stacją benzynową. Tak pokazują je nam zrobione wtedy fotografie, wyciąłem je sobie z ówczesnych gazet, oto plac Loreto, zaraz potem ciała Mussoliniego i Claretty dzień później, kiedy zastęp partyzantów zdejmuje trupy i przenosi je do kostnicy na placu Gorini. Przyjrzyj się dobrze tym zdjęciom. To ciała osób o rysach zniekształconych najpierw kulami, potem zwierzęcym deptaniem, a ponadto czy widziałeś kiedyś czyjąś twarz sfotografowaną, gdy człowiek wisi głową w dół, z oczami w miejsce ust i ustami w miejsce oczu? Twarz staje się wtedy nierozpoznawalna.

— A zatem ten człowiek z placu Loreto, człowiek zabity przez Valeria, nie był Mussolinim. Ale przecież Claretta podczas spotkania mogła go rozpoznać...

— Do Claretty jeszcze wrócimy. Teraz pozwól mi sformułować moją hipotezę. Dyktator musiał mieć swojego sobowtóra, kto wie, ile razy się nim posłużył w obawie przed zamachem podczas oficjalnych uroczystości, kiedy miał przejechać, stojąc prosto w samochodzie, oglądany zawsze z daleka. Otóż przyjmijmy, że aby umożliwić sobie ucieczkę bez przeszkód, od chwili wyjazdu do Como Mussolini nie jest już Mussolinim, lecz swoim sobowtórem.

— A Mussolini gdzie jest?

— Spokojnie, dojdę i do niego. Sobowtór żył przez długie lata w cieniu, płacono mu dobrze, dobrze się odżywiał, występował jedynie w pewnych sytuacjach. Już prawie utożsamia się z Mussolinim i daje się namówić: zajmie raz jeszcze jego miejsce, a nawet, tłumaczą mu, gdyby schwytano go przed przekroczeniem granicy, nikt przecież nie ośmieli się skrzywdzić Duce. On ma odgrywać swoją rolę, zachowując umiar, aż do przybycia aliantów. Wtedy wyjawi swą prawdziwą tożsamość i nie będą mogli o nic go oskarżyć, co najwyżej wsadzą go na kilka miesięcy do obozu koncentracyjnego. W zamian czekać będzie na niego piękna sumka w szwajcarskim banku.

— Ale towarzyszący mu do ostatniej chwili faszystowscy dostojnicy…?

— Dostojnicy zaaprobowali tę inscenizację, aby umożliwić szefowi ucieczkę, w przekonaniu, że jeśli dotrze do aliantów, postara się uratować także ich. A może ci najwięksi fanatycy myślą aż do końca o oporze; oni również potrzebowaliby wtedy wiarygodnej postaci, aby zelektryzować ostatnich gotowych do walki desperatów. Możliwe też, że Mussolini od samego początku podróżował samochodem z dwoma lub trzema najbardziej zaufanymi ludźmi, inni zaś widzieli go zawsze z daleka, w okularach słonecznych. Nie wiem, ale to właściwie bez różnicy. Najważniejsze, że jedynie hipoteza o sobowtórze tłumaczy, dlaczego pseudo-Mussolini odmówił pokazania się rodzinie w Como. Nie mógł dopuścić, aby o potajemnej substytucji dowiedział się cały krąg rodzinny.

— No a Claretta Petacci?

— To sprawa wręcz wzruszająca. Claretta przybywa, myśląc, że to rzeczywiście on, lecz natychmiast ktoś ją poucza, że ma wziąć sobowtóra za prawdziwego Mussoliniego, aby historia wydała się jeszcze bardziej wiarygodna. Ma wytrzymać aż do granicy, potem będzie wolna.

— Ale ta cała scena końcowa… ona trzyma się go kurczowo i chce razem z nim umrzeć?

— To tylko słowa pułkownika Valerio. Znowu wysuwam hipotezę. Postawiony pod ścianą sobowtór robi w portki i krzyczy, że nie jest Mussolinim. Co za tchórz, powiedziałby sobie Valerio, próbuje wszystkiego; i zacząłby strzelać. Petacci nie ma żadnego interesu w ujawnieniu, że to nie jej kochanek, obejmuje go więc, aby scena stała się bardziej wiarygodna. Nie sądzi, że Valerio ją także zastrzeli, ale kto to wie, kobiety są histeryczkami z natury, może straciła głowę i Valerio nie miał wyboru, musiał ją uspokoić serią z pistoletu maszynowego. Weź pod uwagę jeszcze jedną możliwość. W tym momencie Valerio pojmuje, że chodzi o sobowtóra, ale wysłano go przecież po to, aby zabił Mussoliniego — on, wybrany spośród wszystkich Włochów, miałby teraz się wyrzec czekającej go sławy? Więc on także udaje. Jeśli sobowtór podobny jest do swojego pierwowzoru za życia, jeszcze bardziej będzie do niego podobny po śmierci. Kto mógłby zarzucić mi kłamstwo? — myśli Valerio. Komitet Wyzwolenia potrzebuje trupa i będzie go miał. Gdyby pewnego dnia odezwał się prawdziwy Mussolini, można byłoby utrzymywać, że to on jest sobowtórem.

— Ale co z prawdziwym Mussolinim?

— To część hipotezy, którą muszę jeszcze dopracować. Trzeba wyjaśnić, jak zdołał uciec i kto mu pomagał. W zarysie wyglądałoby to tak… Alianci nie chcą, aby Mussoliniego schwytali partyzanci, bo mógłby wyjawić kłopotliwe tajemnice, na przykład korespondencję z Churchillem albo kto wie jakie jeszcze podejrzane sprawki. Już to samo byłoby wystarczającą przyczyną. Przede wszystkim jednak wraz z wyzwoleniem Mediolanu zaczyna się prawdziwa zimna wojna. Rosjanie zbliżają się już do Berlina, podbili pół Europy, a większość partyzantów to komuniści uzbrojeni po zęby, piąta kolumna gotowa oddać Rosjanom także Włochy. Zatem alianci, lub przynajmniej Amerykanie, muszą przygotować siły zdolne się przeciwstawić ewentualnej rewolucji prosowieckiej. W tym celu będą musieli wykorzystać również faszystowskie niedobitki. Czyż nie uratują niemieckich naukowców, jak von Brauna, zabierając ich do Ameryki, żeby przygotowywali podbój kosmosu? Amerykańscy tajni agenci nie przebierają w środkach. Mussolini, unieszkodliwiony jako wróg, mógłby przydać się jutro jako przyjaciel. Trzeba więc wywieźć go potajemnie z Włoch, aby, że tak powiem, przezimował gdzieś przez pewien czas.

— Ale jak?

— Boże mój kochany, kto interweniował, żeby nie doszło do najgorszego? Mediolański arcybiskup, który działał z pewnością według wskazówek Watykanu. A kto pomógł potem całej masie hitlerowców i faszystów uciec do Argentyny? Watykan. Teraz wyobraź sobie: przy wyjściu z pałacu arcybiskupa do samochodu Mussoliniego wsadzają sobowtóra, Mussolini zaś innym, mniej rzucającym się w oczy autem jedzie na zamek Sforzów.

— Dlaczego na zamek?

— Bo jeśli samochód minie katedrę, przetnie plac Cordusio i wjedzie w ulicę Dantego, to z pałacu do zamku dotrze w pięć minut. To prostsze niż jazda do Como, prawda? A w zamku jeszcze dzisiaj nie brak podziemi. Niektóre są znane, używa się ich jako wysypiska śmieci lub czegoś w tym rodzaju, inne istniały pod koniec wojny i służyły za schrony przeciwlotnicze. Otóż z wielu dokumentów wynika, że w ubiegłych wiekach istniały różne przejścia, prawdziwe tunele prowadzące z zamku do innych części miasta. Mówią, że jeden z nich przetrwał i że... jeśli po zapadnięciach się gruntu można w ogóle odnaleźć wejście... dojdzie się nim z zamku do klasztoru Świętej Marii Łaskawej. Tam ukrywa się Mussolini przez kilka dni, gdy wszyscy szukają go na północy, i potem, kiedy rozszarpują jego sobowtóra na placu Loreto. Zaledwie w Mediolanie zapanował spokój, przyjeżdża nocą samochód z tablicą rejestracyjną Państwa Watykańskiego i zabiera Duce. Drogi są wtedy takie, jakie są, ale z plebanii do plebanii, z klasztoru do klasztoru dociera wreszcie do Rzymu. Mussolini znika za murami Watykanu. Teraz pozwalam tobie wybrać, co lepsze: albo już tam zostaje, przebrany może za starego, słabowitego monsignore, albo jako chorowitego zakonnika, odludka w kapturze i z piękną brodą, zaopatrzonego w watykański paszport, wsadzają go na statek płynący do Argentyny. Tam będzie czekał.

— Na co?

— Powiem ci potem, na razie moja hipoteza dalej nie sięga.

— Żeby ją rozbudować, potrzebne ci będą dowody.

— Będę je miał za kilka dni, kiedy skończę poszukiwania w archiwach i lekturę gazet z tamtych czasów. Jutro jest dwudziesty piąty kwietnia, pamiętna data. Pójdę spotkać się z kimś, kto o tamtych dniach dużo wie. Zdołam dowieść, że trup z placu Loreto nie był trupem Mussoliniego.

— Czy nie miałeś jednak pisać artykułu o dawnych burdelach?

— O burdelach znam wszystko na pamięć, artykuł napiszę w niedzielę wieczorem w ciągu godziny. No dobrze, dziękuję, że mnie wysłuchałeś, musiałem z kimś porozmawiać.

Rachunek uregulowałem znowu ja, w gruncie rzeczy Brag-gadocio zasłużył sobie na to. Wyszliśmy. Rozejrzał się wokoło i odszedł, skradając się wzdłuż ścian domów, jakby w obawie, że ktoś go śledzi.

X

NIEDZIELA, 3 MAJA

Braggadocio zwariował. Miał jednak powiedzieć mi jeszcze to, co najciekawsze, a zatem trzeba poczekać. Jego historia była prawdopodobnie zmyślona, ale bez wątpienia niezwykła. Zobaczymy.

Wariat tu, wariatka tam. Nie zapomniałem o rzekomym autyzmie Mai. Mówiłem sobie, że chcę poznać lepiej jej psychikę, teraz jednak wiem, że chciałem czego innego. Pewnego wieczoru, odprowadzając ją do domu, nie zatrzymałem się przy bramie, lecz przeszedłem z nią przez podwórze. Stało tam pod daszkiem małe czerwone cinquecento w bardzo złym stanie.

— To mój jaguar — powiedziała Maia. — Ma prawie dwadzieścia lat, ale jeszcze się rusza, wystarczy jeden przegląd na rok, jest tu niedaleko mechanik, który nadal ma części zamienne. Żeby ten samochód naprawdę doprowadzić do porządku, trzeba by wydać górę pieniędzy, ale wtedy stałby się przedmiotem antykwarycznym, jakiś amator wiele by za niego zapłacił. Ja używam go wyłącznie do podróży nad jezioro Orta. Ty tego nie wiesz, ale ja jestem dziedziczką. Odziedziczyłam po babci domek na wzgórzach, właściwie coś niewiele lepszego od szałasu... sprzedawać nie warto, co mogłabym za to dostać? Urządziłam się tam po trochu, jest kominek, telewizor, jeszcze czarno-biały, z okna widać

103

jezioro i wyspę San Giulio. To moje ustronie, spędzam w nim prawie wszystkie weekendy. Chciałbyś może pojechać tam w niedzielę? Wyjechalibyśmy wcześnie rano, w południe zrobię ci obiadek… nieźle gotuję… a w porze kolacji będziemy z powrotem w Mediolanie.

W niedzielę rano, kiedy byliśmy już w samochodzie, Maia, siedząc za kierownicą, powiedziała w pewnej chwili:

— Widziałeś? Teraz się rozpada, a jeszcze kilka lat temu lśnił przepięknym ceglastoczerwonym kolorem.

— Co?

— Ależ ten dom dróżnika, minęliśmy go właśnie po lewej.

— Do licha, jeśli był po lewej, to tylko ty go widziałaś, ja widzę wyłącznie to, co jest po prawej. Żeby w tej trumience dla noworodka zobaczyć to, co jest po twojej lewej, musiałbym przejść nad tobą i wystawić głowę przez okno. Czy ty, do diabła, nie zdajesz sobie sprawy, że ja tego domu nie mogłem widzieć?

— Może rzeczywiście — powiedziała, jakbym był jakimś oryginałem.

Musiałem wtedy wytłumaczyć, na czym polega jej wada.

— No wiesz — odpowiedziała, śmiejąc się — rzecz w tym, że uważam cię już za swojego lorda protektora i ufam ci tak bardzo, że myślę, iż ty myślisz zawsze to, co ja myślę.

Zaniepokoiłem się. Nie chciałem bynajmniej, żeby myślała, że ja myślę to, co myśli ona. Chodziło o sprawę zbyt intymną.

Jednocześnie ogarnęła mnie jakaś tkliwość. Czułem, że Maia jest bezbronna tak dalece, iż skrywa się w swoim świecie wewnętrznym, aby nie widzieć, co dzieje się w świecie innych, a co może by ją zraniło. Ale jeśli tak rzeczywiście było, to właśnie mnie zaufała, nie mogąc zaś lub może nie chcąc wejść do mojego świata, wyobrażała sobie, że ja mogę się znaleźć w jej świecie.

Byłem zakłopotany, kiedy przekroczyliśmy próg domku. Miłego, choć urządzonego po spartańsku. Był początek maja, na wzgórzach nadal panował chłód. Maia rozpaliła w kominku, a zaledwie ogień buchnął, podniosła się i spojrzała na mnie uszczęśliwiona, z twarzą zarumienioną jeszcze od pierwszych płomieni.

— Jestem … zadowolona — powiedziała.

To jej zadowolenie podbiło mnie.

— Jestem… zadowolony, też — powiedziałem.

Potem wziąłem ją za ramiona i prawie nie zdając sobie z tego sprawy, pocałowałem. Poczułem, że się do mnie przytula, chuda jak ptaszyna. Braggadocio mylił się jednak. Miała piersi, czułem je, były małe, lecz jędrne. Pieśń nad Pieśniami: „jako dwoje bliźniątek u sarny".

— Jestem zadowolona — powtórzyła.

Po raz ostatni spróbowałem stawić opór:

— Wiesz, że mógłbym być twoim ojcem?

— Cóż za piękne kazirodztwo! — powiedziała.

Usiadła na łóżku i gwałtownym ruchem zrzuciła buty, które poleciały daleko. Może miał rację Braggadocio, może naprawdę była zwariowana, ale tym gestem zmusiła mnie do kapitulacji.

Zrezygnowaliśmy z obiadu. Zostaliśmy w jej lichym łóżku do wieczora, przez myśl nam nie przeszło wracać do Mediolanu. Wpadłem w potrzask. Wydawało mi się, że mam dwadzieścia lat lub przynajmniej tylko trzydzieści, jak ona.

— Maiu — powiedziałem jej następnego ranka w drodze powrotnej — musimy pracować dalej z Simeim, dopóki nie uzbieram nieco pieniędzy, potem zabiorę cię z tego kłębowiska robaków. Wytrzymaj jeszcze trochę. Później zobaczymy, może wyjedziemy na wyspy mórz południowych.

— Nie wierzę w to, ale przyjemnie pomyśleć, Tusitala*. Na razie, jeśli przy mnie zostaniesz, zniosę nawet Simeiego i będę nadal redagować horoskopy.

---

*„Opowiadacz" — tak mieszkańcy wysp Samoa nazywali Roberta Louisa Stevensona.

XI

PIĄTEK, 8 MAJA

Piątego maja rano Simei wydawał się podniecony.

— Mam zadanie dla jednego z was, powiedzmy dla Palatina, który jest teraz wolny. Czytaliście, że w ubiegłych miesiącach... w lutym wiadomość była zatem świeża... pewien sędzia z Rimini rozpoczął śledztwo dotyczące sposobu zarządzania kilkoma domami opieki dla starców. Temat bomba, zwłaszcza po aferze w Pio Albergo Trivulzio. Żaden z tych domów nie należy do naszego wydawcy, lecz wiecie zapewne, że posiada on inne domy opieki, również na wybrzeżu adriatyckim. Nie można wykluczyć, że prędzej czy później ów sędzia z Rimini zechce wetknąć nos w sprawy Prezesa. Nasz wydawca będzie zatem zadowolony, jeśli uda się rzucić cień podejrzenia na tego wścibskiego sędziego. Zapamiętajcie sobie, że aby zbić oskarżenie, nie trzeba dzisiaj koniecznie dowieść, że sytuacja przedstawia się całkiem przeciwnie, wystarczy podważyć wiarygodność oskarżającego. A więc oto imię i nazwisko tego faceta, Palatino skoczy do Rimini z magnetofonem i aparatem fotograficznym. Proszę chodzić za tym nieposzlakowanie uczciwym sługą państwa. Nie ma ludzi nieposzlakowanie uczciwych na sto procent, on nie jest pewno pedofilem, nie zamordował własnej babki, nie brał łapówek, ale coś dziwnego chyba kiedyś zrobił. Albo, że tak się wyrażę, udziwni się to, co codziennie robi. Panie Palatino, niech pan się posłuży wyobraźnią.

Po trzech dniach Palatino wrócił z nadzwyczaj frapującymi wiadomościami. Sfotografował sędziego, kiedy ten, siedząc na ławce w ogródku, palił nerwowo jednego papierosa za drugim, a u jego stóp leżało z dziesięć niedopałków. Palatino nie wiedział, czy rzecz można uznać za interesującą, lecz Simei oświadczył, że tak: człowiek, po którym oczekujemy rozwagi i obiektywności, sprawiał wrażenie nerwicowca, a przede wszystkim próżniaka, który zamiast pocić się nad dokumentami, traci czas w ogródkach. Palatino sfotografował go także przez szybę w chińskiej restauracji, jedzącego za pomocą pałeczek.

— Znakomicie — powiedział Simei — nasz czytelnik nie chodzi do chińskich restauracji... tam, gdzie mieszka, może nawet ich nie ma... i nigdy nie przyszłoby mu do głowy jeść pałeczkami, jak dzikus. Dlaczego ten typ obraca się wśród Chińczyków? — zastanowi się czytelnik. Dlaczego, będąc poważnym sędzią, nie je zupki z makaronem albo spaghetti, jak wszyscy inni?

— Nie dosyć na tym — dodał Palatino. — Na nogach miał skarpetki w kolorze... jak by tu powiedzieć... szmaragdowym lub zielonego groszku oraz tenisówki.

— Tenisówki i skarpetki koloru szmaragdowego! — uradował się Simei. — To dandys albo dziecko kwiat, jak kiedyś mówiono. Łatwo sobie wyobrazić, że zażywa narkotyki. Tego jednak nie powiemy, czytelnik powinien sam się domyślić. Panie Palatino, proszę wykorzystać te dane, stworzyć wizerunek odpowiednio mroczny i facet będzie załatwiony jak trzeba. Z braku wiadomości wydobyliśmy wiadomość. Sądzę, że Prezes będzie zadowolony z pana i oczywiście z nas wszystkich.

Zabrał głos Lucidi:

— Poważna gazeta powinna mieć teczki.

— W jakim sensie? — spytał Simei.

— Tak zwane krokodyle. Redakcja nie może przecież znaleźć się w kropce, bo o dziesiątej wieczorem nadeszła wiadomość o śmierci kogoś ważnego i nikt nie jest w stanie napisać w pół godziny poprawnego nekrologu. Dlatego przygotowuje się zawczasu całe dziesiątki nekrologów... krokodyli właśnie... i tak, kiedy ktoś nagle umiera, masz już nekrolog gotowy, wystarczy dodać dzień i godzinę zgonu.

— Ale my nie musimy redagować naszych numerów zerowych dzień po dniu. Robimy numer z określoną datą, wystarczy nam przejrzeć dzienniki z tego dnia i już mamy krokodyla — powiedziałem.

— Zamieścilibyśmy go zresztą tylko wtedy, gdyby dotyczył zgonu... czy ja wiem... jakiegoś ministra albo wielkiego przemysłowca — skomentował Simei — a nie pomniejszego wierszoklety, o którym nasi czytelnicy nigdy nie słyszeli. W takie nekrologi obfitują poświęcone kulturze strony wielkich dzienników, które muszą codziennie publikować nieistotne wiadomości i komentarze.

— Nalegam — powiedział Lucidi — krokodyle to tylko przykład, teczki służą i temu, aby gromadzić wszelkie niedyskrecje, które da się potem wykorzystać w różnego rodzaju artykułach o pewnych osobistościach. Dysponując teczkami, nie musimy zbierać dokumentacji w ostatniej chwili.

— Rozumiem — powiedział Simei — ale to luksus, na który może sobie pozwolić tylko wielki dziennik. Teczka wymaga ciągłych poszukiwań, a ja nie mogę nikomu z was zlecić, żeby od rana do nocy zbierał materiały.

— Ależ nie — uśmiechnął się Lucidi — teczkę może skompletować nawet student uniwersytetu, któremu zapłaci się marne grosze, żeby przeglądał zbiory czasopism. Nie sądzi pan przecież, że teczki, nie tylko dzienników, ale i tajnych służb, zawierają wiadomości niejawne? Nawet tajne służby nie mogą tracić w ten sposób czasu. Teczka zawiera wycinki prasowe, strony gazet mówiące o tym, co wiedzą wszyscy, z wyjątkiem ministra lub przywódcy opozycji, którego teczka dotyczy, bo on nie miał czasu na przeczytanie gazet i bierze to za tajemnice państwowe. W teczkach przechowywane są wiadomości różne, które zainteresowana osoba powinna opracować tak, aby na ich podstawie rodziły się podejrzenia i aluzje. Z jednego wycinka dowiadujemy się, że Ktoś zapłacił mandat za zbyt szybką jazdę, z drugiego — że w zeszłym miesiącu odwiedził obóz harcerski, z trzeciego — że wczoraj widziano go w dyskotece. Na podstawie tego wszystkiego można z powodzeniem zasugerować, że to nieodpowiedzialny zuchwalec, który gwałci kodeks drogowy, jadąc w miejsca, gdzie tęgo się popija, i że prawdopodobnie… mówię „prawdopodobnie", myślę „najwyraźniej"… podobają mu się młodzi chłopcy. To wystarczy, aby tego Kogoś zdyskredytować, na dodatek mówiąc tylko czystą prawdę. Potęga teczki polega też na tym, że nie trzeba jej nawet pokazywać. Dość jest puścić w obieg pogłoskę, że istnieje i że zawiera informacje, powiedzmy, interesujące. Ów Ktoś dowiaduje się, że masz o nim informacje nie wiadomo jakie, a przecież każdy ma jakiegoś trupa w szafie, i już jest w pułapce. Zaledwie o coś go poprosisz, pójdzie ci na rękę.

— Podoba mi się ta sprawa teczek — zapewnił Simei. — Nasz wydawca byłby zadowolony, gdyby miał do dyspozycji narzędzia umożliwiające mu kontrolowanie osób, które go nie kochają lub których nie kocha on. Panie magistrze Colonna, proszę sporządzić łaskawie listę osób, z którymi nasz wydawca może mieć do czynienia, i znaleźć jakiegoś ubogiego studenta, niech przygotuje z dziesięć teczek, na razie wystarczą. Wydaje mi się to doskonałym pomysłem, na dodatek mało kosztownym.

— To tak robi się politykę — zakonkludował Lucidi z miną człowieka wiedzącego, jak toczą się losy świata.

— Panno Fresia — powiedział, uśmiechając się kpiąco, Simei — wygląda pani na zgorszoną, całkiem niepotrzebnie. Myśli pani, że pani pisma gossip nie mają swoich teczek? Może wysłano panią, żeby sfotografowała parę aktorską albo gwiazdkę telewizyjną z piłkarzem. Oni zgodzili się trzymać za ręce, ale należało mieć pewność, że przyjdą w umówione miejsce i nie będą protestować, więc pani naczelny poinformował ich, że tylko w ten sposób unikną rozpowszechnienia bardziej intymnych wiadomości, na przykład że kilka lat wcześniej zaskoczono gwiazdkę w domu schadzek.

Patrząc na Maię, Lucidi, który może miał serce, postanowił zmienić temat.

— Dzisiaj przyszedłem z innymi wiadomościami, zaczerpniętymi oczywiście z moich osobistych teczek. Piątego czerwca dziewięćdziesiątego roku markiz Alessandro Gerini zostawia wielki majątek Fundacji Gerini, instytucji kościelnej pod kontrolą Kongregacji Salezjańskiej. Do tej pory nie wiadomo, co stało się z tymi pieniędzmi. Niektórzy insynuują, że salezjanie je dostali, ale udają, że nie, aby nie zapłacić podatku. Jest jednak bardziej prawdopodobne, że jeszcze ich nie dostali; szepce się, że cesja zależy od tajemniczego pośrednika, może adwokata, który żąda prowizji wyglądającej na prawdziwą łapówkę. Inni jednak utrzymują, że tę machinację popierają pewne kręgi wewnątrz zakonu salezjanów, chodziłoby więc o nielegalny podział łupu. Na razie to tylko pogłoski, ale mogę się postarać i nakłonić do mówienia kogoś innego.

— Niech się pan stara — powiedział Simei — tylko bez wchodzenia w konflikt z salezjanami i z Watykanem. Artykuł można by ewentualnie zatytułować *Salezjanie ofiarą oszustwa*, z pytajnikiem. W ten sposób unikniemy zadrażnień.

— A gdybyśmy zatytułowali *Salezjanie w oku cyklonu*? — wtrącił się niestosownie jak zazwyczaj Cambria.

Zareagowałem surowo:

— Myślałem, że wyrażam się jasno. Być „w oku cyklonu" oznacza dla naszych czytelników mieć kłopoty, a kłopoty można mieć także z własnej winy.

— Rzeczywiście — powiedział Simei — ograniczmy się do rozpowszechniania uogólnionych podejrzeń. Ktoś łowi tu ryby w mętnej wodzie, my nie wiemy jeszcze kto, ale z pewnością go nastraszymy. To nam wystarcza. Później, we właściwej chwili, będziemy coś z tego mieli, to jest będzie coś z tego miał nasz wydawca. Brawo, panie Lucidi, proszę pracować dalej. Z najwyższym szacunkiem dla zakonników… polegam na panu… ale niech i oni trochę się zaniepokoją, to nie zaszkodzi.

— Przepraszam — spytała nieśmiało Maia — ale czy nasz wydawca aprobuje lub będzie aprobował tę politykę, którą nazwałabym polityką teczek i insynuacji? Pytam z prostej ciekawości.

— Nie musimy tłumaczyć się wydawcy z naszych dziennikarskich działań — zareagował oburzony Simei. — Prezes nigdy nie próbował wywierać na mnie wpływu w jakikolwiek sposób. Do roboty, do roboty.

Tego dnia odbyłem z Simeim także bardzo prywatną rozmowę. Nie zapomniałem bynajmniej o powodach, dla których się tam znajduję, i naszkicowałem już kilka rozdziałów książki *Jutro: wczoraj*. Opisałem mniej więcej kolegia redakcyjne, które już się odbyły, ale odwracając role, to znaczy ukazując Simeiego jako człowieka gotowego stawić czoło każdemu niebezpieczeństwu, chociaż współpracownicy doradzają mu ostrożność. Chciałem nawet dodać rozdział końcowy, w którym wysoki dostojnik kościelny bliski salezjanom, kardynał

Bertone*, dzwoni do niego i słodziutkim głosem namawia, by nie zajmował się niefortunną sprawą markiza Geriniego. Pomijając już inne rozmowy telefoniczne, w których ostrzegano go po przyjacielsku, że nie jest dobrze obrzucać błotem Pio Albergo Trivulzio. Simei odpowiadał jednak jak Humphrey Bogart w znanym filmie: to jest prasa, kochanie, nie ma na nią rady!

— Wspaniale — skomentował niezwykle podniecony Simei. — Panie Colonna, jest pan cennym współpracownikiem, proszę tak dalej.

Oczywiście czułem się upokorzony bardziej od Mai zmuszonej do układania horoskopów, ale byłem już na balu i musiałem tańczyć. Także dlatego, że miałem w perspektywie morza południowe, gdziekolwiek by się one znajdowały. Nawet gdyby tylko w Loano**, przegranemu mogło to wystarczyć.

XII

PONIEDZIAŁEK, 11 MAJA

W następny poniedziałek Simei zwołał nas wszystkich.

— Panie Costanza — powiedział — w swoim artykule o prostytutkach używa pan takich wyrażeń jak „co za burdel", „wkurwić się", „wkurwiony" i wprowadza na scenę dziwkę mówiącą „odpierdol się".

— Przecież tak jest — zaprotestował Costanza — teraz już wszyscy używają brzydkich słów nawet w telewizji, nawet dystyngowane panie mówią „kutas".

— Nie interesuje nas to, co się dzieje w wyższych sferach. My musimy myśleć o czytelnikach, których brzydkie słowa jeszcze odstraszają. Używajmy innych określeń. Panie magistrze Colonna?

Zabrałem głos.

— Można z powodzeniem powiedzieć: co za zamieszanie, rozgniewać się, rozzłoszczony, idź do diabła.

— Ciekawe, po co do diabła? — zażartował kpiąco Braggadocio.

— Nie musimy mówić, co u diabła słychać — zareplikował Simei.

Zajęliśmy się potem czym innym. Po godzinie kolegium się skończyło. Maia poprosiła wtedy na bok mnie i Braggadocia.

— Ja się nie wypowiadam, bo mówię ciągle nie to, co trzeba, ale dobrze byłoby opracować podręcznik określeń zastępczych.

— Zastępczych względem czego? — spytał Braggadocio.

— Ależ wulgaryzmów, o których była mowa.

— Przecież mówiliśmy o nich godzinę temu! — zawołał zniecierpliwiony Braggadocio, patrząc na mnie, jakby chciał powiedzieć: „Widzisz, z nią tak zawsze".

— Daj spokój — powiedziałem pojednawczo — skoro ona nadal się nad tym zastanawiała... No proszę, Maiu, zapoznaj nas ze swoimi starannie ukrywanymi myślami.

— No więc dobrze byłoby zasugerować, że za każdym razem, gdy wyrażając niezadowolenie lub pogardę, mówi się o kimś „to kutas", należałoby powiedzieć: „To zewnętrzny narząd męskiego układu rozrodczo-moczowego w kształcie walcowatego wyrostka osadzonego w przedniej części krocza, głupi jak baran!".

— Pani jest do szczętu zwariowana — zareagował Braggadocio. — Colonna, podejdź proszę do mojego biurka, coś ci pokażę.

Odszedłem z Braggadociem na stronę, puszczając oczko do Mai, której autystyczne zachowanie — jeśli był to rzeczywiście autyzm — coraz bardziej mnie zachwycało.

Wszyscy już wyszli, zapadał zmrok, w świetle stojącej na biurku lampy Braggadocio machał plikiem kserokopii.

— Colonna — zaczął, obejmując ramionami swoje papiery, jakby chciał ukryć je przed oczami kogokolwiek innego — popatrz na te dokumenty, które znalazłem w archiwum. W dzień po wystawieniu na placu Loreto zwłoki Mussoliniego zostają przewiezione do uniwersyteckiego Instytutu Medycyny Sądowej celem dokonania autopsji. Oto raport lekarza. Czytaj: *Instytut Medycyny Sądowej i Ubezpieczeń Królewskiego Uniwersytetu w Mediolanie, profesor Mario Cattabeni, protokół z nekroskopii nr 7241 dokonanej 30 kwietnia 1945 roku na zwłokach Benita Mussoliniego, zmarłego 28 kwietnia 1945 roku. Zwłoki złożono na stole anatomicznym po zdjęciu z nich odzieży. Ważą 72 kg. Ze względu na znaczne przekształcenie traumatyczne głowy wzrost można było określić jedynie w przybliżeniu na 166 cm. Twarz zniekształcona licznymi obrażeniami spowodowanymi użyciem broni palnej oraz kontuzjami, co czyni prawie nierozpoznawalnymi jej rysy. Nie przeprowadza się pomiaru antropometrycznego głowy ze względu na jej zniekształcenie spowodowane złamaniem kośćca czaszkowo-twarzowego...* To możemy opuścić. Dalej: *Głowa zdeformowana całkowitym rozpadem kośćca z głębokim wgnieceniem całego obszaru ciemieniowo-potylicznego lewego i zmiażdżeniem obszaru oczodołowego po tej samej stronie, tamże gałka oczna zapadła i rozdarta z całkowitym wypływem cieczy szklistej, tkanka tłuszczowa oczodołu w znacznej mierze odkryta skutkiem rozległego rozdarcia, nie jest nabiegła krwią. W rejonie czołowym środkowym i ciemieniowo-czołowym lewym dwie rozległe wyrwy w skórze owłosionej o poszarpanych brzegach, szerokości około 6 cm każda, odkrywają sklepienie czaszki. Na obszarze potylicznym po prawej od linii środkowej dwa bliskie siebie, nieregularne otwory z brzegami wywiniętymi na zewnątrz, o średnicy maksimum 2 cm, z których wypływa rozgnieciona substancja mózgowa bez śladów infiltracji krwawej.* Wyobrażasz sobie! Rozgnieciona substancja mózgowa!

Braggadocio prawie się pocił, drżały mu ręce, na dolnej wardze perliły się kropelki śliny. Przypominał podnieconego żarłoka, który wącha smażony móżdżek, piękną porcję flaków albo gulasz. Czytał dalej.

— *Na karku, w pobliżu linii środkowej, po prawej, duży, rozerwany otwór o średnicy prawie 3 cm, z brzegami wywiniętymi na zewnątrz, bez śladów infiltracji krwawej. Na obszarze skroniowym*

prawym dwa bliskie siebie otwory okrągławe o brzegach z lekka po-
strzępionych, bez infiltracji krwawej. Na obszarze skroniowym le-
wym duży otwór rozerwany z brzegami wywiniętymi na zewnątrz
i wypływającą rozgniecioną substancją mózgową. Duży otwór wy-
lotowy w małżowinie usznej lewej; oba te ostatnie obrażenia mają
typowy wygląd obrażeń pozgonnych. U nasady nosa mały rozerwa-
ny otwór ze strzaskanymi cząstkami kości wystającymi na zewnątrz,
o nieznacznej infiltracji krwawej. Na prawym policzku zespół trzech
otworów, za nim kanalik wiodący w głąb do tyłu, najpierw z lekką
ukośnością w tył, następnie z lekką ukośnością w górę, o brzegach
lejkowatych do wewnątrz, bez śladów infiltracji krwawej. Złamanie
strzaskane górnej kości szczękowej z rozległymi rozdarciami części
miękkich i kostnych sklepienia podniebienia, o znamionach obra-
żeń pozgonnych. Opuszczam znowu, bo następują dane
o umiejscowieniu ran, nas nie interesuje to, jak i gdzie go
zraniono, wystarczy nam wiedzieć, że go zastrzelono. *Skle-*
pienie czaszki jest strzaskane, popękane, brak licznych fragmentów,
stąd bezpośredni dostęp do jamy wewnątrzczaszkowej. Grubość ka-
loty kostnej w normie. Opona twarda mózgowa opadła, z rozległy-
mi rozdarciami w połowie przedniej; brak śladów wylewu krwo-
tocznego nad- lub podoponowego. Usunięcia mózgowia nie można
dokonać w całości, ponieważ móżdżek, mostek, śródmózgowie oraz
dolna część płatów mózgowych są rozgniecione, skądinąd bez śla-
dów infiltracji krwawej...

Powtarzał za każdym razem określenie „rozgnieciony",
którego profesor Cattabeni nadużywał, gdyż niewątpliwie
wstrząsnął nim stan tego rozgniecionego trupa. Powtarzał je
ze swego rodzaju rozkoszą, wymawiając niekiedy dwa „r"
w miejsce jednego. Przypominał mi Daria Fo z *Mistero buffo,*
grającego wieśniaka, który wyobraża sobie, że zajada się wy-
marzoną potrawą.

— Kontynuujmy. *Nietknięte pozostają tylko: większość wypuk-*
łości półkolistych, ciało modzelowate i część podstawy mózgowia;

tętnice pnia mózgu, widoczne jedynie częściowo pośród ruchomych fragmentów powstałych ze strzaskania całej podstawy czaszki, są jeszcze po części połączone z masą mózgowia; widoczne odcinki, a wśród nich tętnice mózgowe przednie, mają nieuszkodzone ścianki... No i wydaje ci się, że lekarz, przekonany zresztą, że ma przed sobą ciało Duce, był w stanie zrozumieć, do kogo należał ten stos rozgniecionego mięsa i kości? A czy mógł spokojnie pracować w tej sali, gdzie (tak piszą) wchodzili i wychodzili ludzie, dziennikarze, partyzanci, podnieceni ciekawscy? Gdzie w rogu stołu, według innych, leżały porzucone trzewia, a dwóch pielęgniarzy grało tymi podrobami w ping-ponga, rzucając sobie kawałki wątroby albo płuc?

Mówiąc to, Braggadocio sprawiał wrażenie kota, który wskoczył ukradkiem na ladę u rzeźnika; gdyby miał wąsy, byłyby nastroszone i drgające...

— Jeśli poczytasz dalej, zobaczysz, że w ogóle nie ma mowy o wrzodzie żołądka, a wszyscy wiemy, że Mussolini na wrzód cierpiał, nie wspomina się też o śladach kiły, a przecież sądzono ogólnie, że nieboszczyk jest syfilitykiem w zaawansowanym stadium. Zauważ też, że Georg Zachariae, niemiecki lekarz opiekujący się Duce w Salò, zaświadczył nieco później, że jego pacjent miał niskie ciśnienie, anemię, powiększoną wątrobę, skurcze żołądka, zesztywnienie jelit i ostre zaparcia. Natomiast zgodnie z autopsją wszystko było w porządku: wątroba w normie pod względem objętości i wyglądu zarówno na powierzchni, jak i wewnątrz, drogi żółciowe w dobrym stanie, nerki i nadnercze nienaruszone, drogi moczowe w normie. Uwaga końcowa: *usunięte resztki mózgowia zakonserwowano w formalinie celem przeprowadzenia późniejszych badań anatomicznych i histopatologicznych, fragment kory przekazano po otrzymaniu odnośnego wniosku od Służby Zdrowia Dowództwa V Armii (Calvin S. Drayer) dr. Winfredowi*

H. Overholserowi ze Szpitala Psychiatrycznego św. Elżbiety w Waszyngtonie. I nic więcej.

Czytał i delektował się każdym wierszem, jakby stał przed trupem, jakby go dotykał, jakby znajdował się w tawernie Moriggi i zamiast nad golonką z kiszoną kapustą ślinił się nad tym obszarem oczodołowym z gałką oczną zapadłą i rozdartą przy całkowitym wypływie cieczy szklistej, jakby smakował mostek, śródmózgowie, dolną część płatów mózgowych, jakby cieszył się tą substancją mózgową w płynnym prawie stanie.

Byłem zdegustowany, ale — nie mogę zaprzeczyć — także zafascynowany nim i tym udręczonym ciałem, które tak go radowało; urzeczony jak bohater dziewiętnastowiecznej powieści hipnotyzowany przez węża. Aby położyć kres radosnemu uniesieniu Braggadocia, skomentowałem:

— To autopsja nie wiadomo kogo.

— No właśnie. Jak widzisz, moja hipoteza się sprawdza: zwłoki Mussoliniego nie były zwłokami Mussoliniego, a w każdym razie nikt nie mógłby przysiąc, że były. Teraz mogę już być spokojny co do tego, co się stało między dwudziestym piątym a trzydziestym kwietnia.

Tego wieczoru naprawdę poczułem potrzebę oczyszczenia się u boku Mai. Żeby zaś oddalić jej obraz od obrazów, z którymi zapoznałem się w redakcji, postanowiłem wyznać jej prawdę, powiedzieć, że „Jutro" nigdy się nie ukaże.

— To dobrze — powiedziała Maia. — Nie będę się już martwić o swoją przyszłość. Wytrzymamy jeszcze przez kilka miesięcy, zarobimy szybko trochę pieniędzy, tych przeklętych pieniędzy, a potem — morza południowe.

XIII

KONIEC MAJA

Moje życie biegło teraz dwoma torami. W dzień upokarzająca praca w redakcji, wieczorem mieszkanko Mai, niekiedy moje. Soboty i niedziele nad jeziorem Orta. Tymi wieczorami wynagradzaliśmy sobie dni spędzone z Simeim. Maia zrezygnowała z wysuwania propozycji skazanych na odrzucenie, zapoznając z nimi jedynie mnie, dla rozrywki lub dla pociechy.

Pewnego wieczoru pokazała mi zeszyt z ogłoszeniami matrymonialnymi.

— Posłuchaj, jakie są piękne. Ale najchętniej opublikowałabym je razem z interpretacjami.

— W jakim sensie?

— Posłuchaj. *Witaj, jestem Samanta, mam dwadzieścia dziewięć lat, posiadam dyplom, gospodyni domowa w separacji, szukam mężczyzny niebrzydkiego, lecz przede wszystkim towarzyskiego i wesołego.* Interpretacja: Niebawem stuknie mi trzydziestka, mąż mnie rzucił, ze swoim z trudem zdobytym dyplomem księgowej nie znalazłam pracy, teraz całymi dniami przesiaduję bezczynnie w domu (nie mam nawet dzieciaków, którymi bym się mogła zajmować); szukam mężczyzny, może nie być piękny, byle tylko mnie nie tłukł jak ten łobuz, za którego wyszłam. Albo: *Karolina, lat trzydzieści trzy, panna z magisterium, prowadzi przedsiębiorstwo, bardzo wyrafinowana, smukła brunetka, żywo zainteresowana*

120

sportem, kinem, teatrem, lekturą i tańcem, ewentualnie także innymi dziedzinami, pozna w celu matrymonialnym mężczyznę obdarzonego urokiem i osobowością, wykształconego i dobrze sytuowanego, przedstawiciela wolnych zawodów, urzędnika państwowego lub wojskowego z Korpusu Karabinierów, w wieku najwyżej sześćdziesięciu lat. Interpretacja: Mam trzydzieści trzy lata i nikogo jeszcze nie znalazłam, może dlatego, że jestem chuda jak szczapa i nie udaje mi się ufarbować włosów na blond, ale staram się o tym nie myśleć; z trudem ukończyłam studia humanistyczne, lecz nie zdałam żadnego egzaminu konkursowego na posadę nauczycielki, więc zawiaduję budką, w której pracuje na czarno trzech Albańczyków wyrabiających skarpetki sprzedawane później na jarmarkach; nie wiem właściwie, co mi się podoba, oglądam trochę telewizję, chodzę z przyjaciółką do kina lub do parafialnego teatrzyku, czytam gazety — zwłaszcza ogłoszenia matrymonialne — chciałabym pójść potańczyć, ale nikt mnie nie zaprasza: jeśli znajdę jakiegoś męża, gotowa jestem żywo zainteresować się czymkolwiek innym, byle tylko miał trochę pieniędzy i bylebym mogła skończyć z tymi skarpetkami i z Albańczykami; wzięłabym nawet starego, w miarę możności handlowca, zgodziłabym się też na urzędnika katastralnego albo na wachmistrza karabinierów. I jeszcze jedno: *Patrycja, czterdzieści dwa lata, niezamężna, czynna w handlu, smukła brunetka, łagodna i wrażliwa, pragnie poznać mężczyznę lojalnego, dobrego i szczerego, stan cywilny bez znaczenia, pod warunkiem że jest zainteresowany.* Interpretacja: Do licha, mam czterdzieści dwa lata (i nie mówcie mi, że skoro nazywam się Patrycja, powinnam mieć prawie pięćdziesiąt, jak wszystkie Patrycje) i nie udało mi się wyjść za mąż, radzę sobie jakoś z pasmanterią odziedziczoną po matce, daje mi się trochę we znaki anoreksja, a z pewnością jestem znerwicowana; czy znajdę chłopa, który pójdzie ze mną do łóżka, może być żonaty, byleby dobrze sobie poczynał? I dalej: *Nie tracę nadziei, że są jeszcze kobiety zdolne kochać naprawdę, jestem kawalerem — urzędnikiem bankowym, lat dwadzieścia dziewięć, sądzę, że mogę się uważać za przystojnego i że mam bardzo żywe usposobienie, szukam ładnej dziewczyny, poważnej i wykształconej, zdolnej przeżyć ze mną wspaniałą historię miłosną.* Interpretacja: Z dziewczynami mi nie wychodzi, te kilka, które miałem, były głupie i myślały tylko o małżeństwie, a czy ja ze swoją nędzną pensją mógłbym utrzymać żonę; potem twierdziły, że mam żywe usposobienie, bo im mówiłem, żeby szły do diabła; ale odrażający nie jestem, czy znajdę więc dziewuchę, która nie będzie mówiła „kupywać" i bez większych pretensji da mi się kilka razy wypierdolić? Znalazłam też jedno bajeczne niematrymonialne ogłoszenie: *Towarzystwo teatralne szuka aktorów, statystów, charakteryzatorki, reżysera, krawcowej na najbliższy sezon.* Czy mają już przynajmniej publiczność?

Maia naprawdę marnowała się w „Jutrze".

— Nie myślisz chyba, że Simei opublikowałby ci takie rzeczy? Może co najwyżej ogłoszenia, z pewnością nie twoje interpretacje.

— Wiem, wiem, ale wolno przecież pomarzyć.

Potem, przed zaśnięciem, powiedziała:

— Ty wszystko wiesz, ale czy wiesz, w jakim sensie mówi się „stracić Trebizondę" i „uderzać w cymbały"?

— Nie, nie wiem, ale czy takie pytania stawia się o północy?

— A ja wiem, to znaczy przeczytałam o tym przed kilkoma dniami. Są dwa wytłumaczenia. Pierwsze: Trebizonda była największym portem Morza Czarnego, dla kupców zgubienie się na szlaku do Trebizondy oznaczało stratę zainwestowanych w podróż pieniędzy. Drugie wydaje mi się bardziej prawdopodobne: Trebizonda była widomym punktem odniesienia dla statków, więc stracenie jej z oczu równało się utracie orientacji, busoli, kierunku na północ. Co się tyczy uderzania w cymbały, jak mówi się powszechnie o człowieku w stanie nietrzeźwym, według słownika etymologicznego wyrażenie to początkowo oznaczało „być przesadnie wesołym"; używał go już Aretino, a wywodzi się z Psalmu Sto Pięćdziesiątego, *in cymbalis bene sonantibus.*

— W czyje to ja trafiłem ręce! Jak z taką dociekliwością mogłaś przez całe lata zajmować się czułymi przyjaźniami?

— Dla pieniędzy, dla tych przeklętych pieniędzy. Zdarza się tak osobom przegranym. — Przytuliła się do mnie mocniej. — Ale teraz jestem mniej przegrana niż przedtem, bo wygrałam ciebie na loterii.

Co można odpowiedzieć takiej postrzelonej? Najlepiej znowu się z nią kochać. Robiąc to, czułem się prawie jak wygrany.

Wieczorem dwudziestego trzeciego nie oglądaliśmy telewizji i dopiero następnego dnia przeczytaliśmy w prasie o zamachu na Falconego[*]. Byliśmy wstrząśnięci, nazajutrz w redakcji także inni byli nieźle poruszeni.

Costanza spytał Simeiego, czy nie należałoby temu wydarzeniu poświęcić jednego numeru.

— Zastanówmy się — powiedział niepewnie Simei. — Pisząc o śmierci Falconego, musielibyśmy pisać o mafii, ubolewać nad nieudolnością sił porządkowych i tak dalej. Za jednym zamachem narazilibyśmy się policji, karabinierom i mafii. Nie wiem, czy spodobałoby się to Prezesowi. Kiedy przyjdzie nam redagować dziennik prawdziwy, o wysadzeniu w powietrze sędziego z pewnością będziemy musieli pisać, a pisząc o nim, zaryzykujemy wysunięcie hipotez,

---

[*]Giovanni Falcone — sędzia zamordowany pod Palermo przez mafię w 1992 roku.

które po kilku dniach okażą się mylne. To ryzyko, które prawdziwa gazeta musi ponieść, ale dlaczego mielibyśmy ponosić je my? Rozwiązaniem ostrożniejszym jest zazwyczaj — także dla gazet prawdziwych — nastawienie się na sentymenty, wywiady z krewnymi. Widzieliście pewno, jak to robią dziennikarze telewizyjni. Dzwonią do drzwi matki, której dziesięcioletniego syna rozpuszczono w kwasie: Proszę pani, co pani czuła, dowiadując się o śmierci dziecka? Ludziom wilgotnieją oczy i wszyscy są zadowoleni. Jest takie piękne niemieckie słowo, *Schadenfreude*, zadowolenie z cudzego nieszczęścia. Takie właśnie uczucie gazeta powinna szanować i podtrzymywać. Na razie nie musimy jednak zajmować się tymi smutnymi sprawami, oburzenie pozostawmy prasie lewicowej, która się w nim specjalizuje. Ponadto wiadomość nie jest aż tak bardzo wstrząsająca. Zabijano już sędziów, a inni jeszcze zginą. Nie zabraknie nam dobrych okazji. Teraz się wstrzymamy.

Po ponownym uśmierceniu Falconego poświęciliśmy się ważniejszym problemom.

Później podszedł do mnie Braggadocio i trącił mnie łokciem.

— Widziałeś? Zrozumiałeś chyba, że i ta sprawa potwierdza moją historię.

— Ale co, do licha, ona ma z nią wspólnego?

— Do jakiego licha, jeszcze nie wiem, ale coś wspólnego musi mieć. Wszystko łączy się zawsze ze wszystkim, jeśli umiesz czytać z fusów. Daj mi tylko trochę czasu.

XIV

Obudziwszy się pewnego ranka, Maia powiedziała:

— Ale on niezbyt mi się podoba.

Byłem już przygotowany na jej grę synaps.

— Mówisz o Braggadociu.

— Oczywiście, a o kimże innym? — Potem jakby się zastanowiła. — Ale jak to odgadłeś?

— Moja śliczna, jak powiedziałby Simei, mamy razem sześciu wspólnych znajomych; pomyślałem, kto był dla ciebie najbardziej niegrzeczny, i wypadł mi Braggadocio.

— Ale przecież mógł przyjść mi na myśl... czy ja wiem... prezydent Cossiga.

— Właśnie, że nie, myślałaś o Braggadociu. Raz udało mi się zrozumieć cię w lot, a ty teraz próbujesz komplikować sprawę. Przestań.

— Widzisz, że zaczynasz myśleć to samo co ja?

Tam do licha, miała rację.

— Pedały — powiedział tego ranka Simei na naszym codziennym zebraniu. — Pedały to temat, który zawsze budzi zainteresowanie.

— Nie mówi się już pedały — zaryzykowała Maia. — Mówi się geje, prawda?

— Wiem, wiem, moja śliczna — zareagował poirytowany Simei — ale nasi czytelnicy mówią jeszcze pedały, a raczej myślą, bo wymawianie tego słowa budzi w nich wstręt. Wiem też, że nie mówi się już czarny, lecz Afrykanin, i nie mówi się już ślepy, lecz niewidzący. Jednak Afrykanin to nadal czarny, a niewidzący... biedak... nie widzi nawet palącej się zapałki. Ja nie mam nic przeciwko pedałom, tak samo jak przeciw Murzynom, są całkowicie w porządku, jeśli siedzą u siebie w domu.

— Więc dlaczego mamy zajmować się gejami, skoro nasi czytelnicy się nimi brzydzą?

— Nie myślę o pedałach w ogólności, moja śliczna, ja jestem za swobodą, niech każdy robi, co chce. Ale są oni czynni w polityce, w parlamencie, nawet w rządzie. Ludzie sądzą, że pedałami są tylko pisarze i tancerze, w rzeczywistości zaś niektórzy z nich nami rządzą, a my tego nie dostrzegamy. To mafia, pomagają sobie wzajemnie. Na takie rzeczy nasi czytelnicy mogą być uwrażliwieni.

Maia nie ustępowała.

— Ale świat się zmienia, może za dziesięć lat gej będzie mógł powiedzieć otwarcie, że jest gejem, i nikt w ogóle się tym nie przejmie.

— Za dziesięć lat niech się dzieje, co dziać się musi, wszyscy wiemy, że następuje upadek obyczajów. Na razie jednak naszego czytelnika temat pociąga. Panie Lucidi, ma pan tyle interesujących źródeł, co mógłby nam pan powiedzieć o pedałach w polityce, ale bardzo proszę bez podawania nazwisk, nie chcemy trafić do sądu. Chodzi o samą myśl, o widmo, o wywołanie dreszczu, niepokoju...

Zabrał głos Lucidi.

— Gdyby pan sobie życzył, nazwisk mógłbym wymienić wiele. Jeżeli jednak chodzi, jak pan mówi, o dreszcz, można by wspomnieć o krążącej pogłosce, że jest w Rzymie pewna księgarnia, gdzie spotykają się homoseksualiści wysokiej rangi, a nikt tego nie zauważa, bo klientami są w większości zupełnie normalni ludzie. Dla niektórych jest to również miejsce, gdzie mogą dostać torebkę kokainy: bierzesz książkę, niesiesz do kasy, ktoś ją odbiera, żeby zapakować, i pod papier wsuwa torebkę. Wiadomo, że... dajmy spokój, on był nawet ministrem, jest homoseksualistą i snifuje. Wszyscy o tym wiedzą, to znaczy wszyscy ci, którzy się liczą, nie pójdzie tam dający dupy proletariusz ani nawet tancerz, bo rzucałby się w oczy swoimi krygami.

— Doskonale, trzymajmy się pogłosek, ale z jakimś pikantnym szczegółem, jakby to był artykuł obyczajowy o bieżących wydarzeniach, w żywym tonie. Istnieje także sposób na zasugerowanie nazwisk. Można na przykład powiedzieć, że owo miejsce jest w najwyższym stopniu godne szacunku, ponieważ odwiedzają je bardzo szanowani ludzie — i tu wymienić siedem lub osiem nazwisk pisarzy, dziennikarzy i senatorów o nieposzlakowanej opinii. Tylko że pośród tych nazwisk podamy także jedno lub dwa należące do osób, które pedałami są. Nie będzie można powiedzieć, że oczerniamy kogokolwiek, bo te nazwiska padną w grupie ludzi o wzorowej postawie. Proszę też wpisać tam kogoś o opinii pełnoetatowego kobieciarza, o którym wiadomo nawet, jaką ma kochankę. W ten sposób wysyłamy zaszyfrowaną wiadomość, kto chce zrozumieć, ten zrozumie, ktoś pojmie niewątpliwie, że gdybyśmy chcieli, moglibyśmy napisać o wiele więcej.

Maię ogarnęło wzburzenie, było to po niej widać. Wszyscy byli jednak podnieceni tym pomysłem i znając Lucidiego, oczekiwali pięknego, pełnego jadu tekstu.

Maia wyszła przed innymi, dając mi znak oczami, jakby chciała powiedzieć: wybacz, dzisiaj wieczorem muszę być sama, wezmę środek nasenny i pójdę spać. Padłem więc ofiarą Braggadocia, który zaczął snuć dalej swoje historie. Spacerując, doszliśmy dziwnym trafem na ulicę Bagnera, miejsce ponure, pasujące do pogrzebowego tonu jego opowieści.

— Posłuchaj, powiem ci teraz o wydarzeniach, które mogłyby przeczyć mojej hipotezie, ale zobaczysz, że tak nie jest. A zatem Mussolini pod postacią podrobów zostaje pozszywany jak się da i pochowany z Clarettą i całym tym towarzystwem na cmentarzu Musocco w bezimiennym grobie, żeby nie mogły tam chodzić pielgrzymki tęskniących za przeszłością. Miało to być całkiem po myśli ludzi, którzy umożliwili ucieczkę prawdziwemu Mussoliniemu i nie chcieli, żeby o jego śmierci zbyt dużo mówiono. Nie można było z pewnością stworzyć mitu o ukrytym Barbarossie; coś takiego mogło funkcjonować doskonale tylko w odniesieniu do Hitlera, którego zwłok nie odnaleziono i o którym w ogóle nie wiedziano, czy naprawdę nie żyje. Nie przecząc jednak, że Mussolini zginął (a partyzanci wraz z innymi nadal sławili plac Loreto jako magiczny moment Wyzwolenia), należało też być gotowym na to, że pewnego dnia zmarły pojawi się znowu taki jak kiedyś i jeszcze lepszy, zgodnie ze słowami piosenki. A nie może przecież zmartwychwstać posklejana papka. W tym punkcie wkracza jednak na scenę ktoś psujący zabawę — Leccisi.

— Wydaje mi się, że sobie przypominam; wykradł trupa Duce.

— No właśnie. Dwudziestosześcioletni młodzieniaszek z ostatniego rzutu Republiki Socjalnej, idealista całkiem bezmyślny. Chce pochować swoje bóstwo w rozpoznawalnym grobie lub w każdym razie wywołać skandal i rozreklamować rodzący się neofaszyzm. Zbiera grupkę podobnych sobie postrzeleńców, pewnej kwietniowej nocy tysiąc dziewięćset czterdziestego szóstego roku wchodzą na cmentarz. Nocnych stróżów jest mało i mocno śpią; Leccisi zmierza prosto do grobu, ktoś z pewnością dostarczył mu wskazówek. Odgrzebuje rozkładające się zwłoki, w jeszcze gorszym stanie, niż kiedy wkładano je do trumny... minął rok, możesz sobie wyobrazić, co on tam znalazł... i ukradkiem, po cichutku wynosi je niezbyt uważnie, gubiąc w alejkach cmentarza tu strzęp zgniłej substancji organicznej, tam nawet dwa paliczki. Prawdziwi bałaganiarze.

Odnosiłem wrażenie, że Braggadocio byłby zachwycony, gdyby mógł uczestniczyć w tym smrodliwym przenoszeniu trupa; po nekrofilu wszystkiego można było się spodziewać. Pozwoliłem mu mówić dalej.

— Sensacja, wielkie tytuły w gazetach, policja i karabinierzy przez sto dni miotają się po różnych miejscach, nie znajdując śladu zwłok, a przecież wydawany przez nie smród powinien był zostawić woniejące pasmo wzdłuż całej drogi, którą przebyły. Jednakże już w kilka dni po porwaniu złapano pierwszego wspólnika, nazwiskiem Rana, a następnie jednego po drugim innych, aż w końcu lipca wpadł sam Leccisi. Wychodzi wtedy na jaw, że zwłoki zostały ukryte na krótko w domu Rany w Valtellinie, a potem przekazane franciszkańskiemu przeorowi klasztoru Sant'Angelo w Mediolanie, ojcu Zucca, który zamurował trupa w trzeciej nawie swojego kościoła. Sprawa ojca Zucca i jego współpracownika, ojca Pariniego, to osobna historia. Dla jednych byli to kapelani Mediolanu bogatego i reakcyjnego, wręcz obracający fałszywymi pieniędzmi i narkotykami w środowiskach neofaszystowskich, dla drugich — zakonnikami o dobrym sercu, którzy nie mogli nie spełnić obowiązku każdego prawdziwego chrześcijanina, *parce sepulto*, przebacz pogrzebanemu, ale i oni wcale mnie nie interesują. Interesuje mnie natomiast, że rząd za zgodą kardynała Schustera pośpiesznie zleca pochować ciało w jednej z kaplic klasztoru kapucynów w Cerro Maggiore, gdzie pozostaje ono od tysiąc dziewięćset czterdziestego szóstego do tysiąc dziewięćset pięćdziesiątego siódmego roku, przez jedenaście lat, przy ścisłym zachowaniu tajemnicy. Rozumiesz, że dochodzimy tutaj do momentu nadzwyczaj istotnego. Ten dureń Leccisi o mało nie doprowadził do powtórnych oględzin zwłok sobowtóra; w stanie, w jakim się znajdowały, nie dawało się, rzecz jasna, poważnie ich zbadać, lecz w każdym razie dla tych, którzy trzymali nici sprawy Mussoliniego, było lepiej wszystko wyciszyć, uśpić, uśpić, żeby jak najmniej się o tym mówiło. Jednakże podczas gdy Leccisi (po dwudziestu jeden miesiącach w więzieniu) robi piękną karierę w parlamencie, nowy premier Adone Zoli, który doszedł do władzy dzięki głosom neofaszystów, w geście wdzięczności wyraża zgodę na przekazanie zwłok rodzinie i pochowanie ich w Predappio, gdzie Duce się urodził, w swego rodzaju sanktuarium, wokół którego dziś jeszcze gromadzą się tęskniący za przeszłością starcy i nowi fanatycy, czarne koszule pozdrawiające się podniesioną ręką. Sądzę, że Zoli nie wiedział o istnieniu prawdziwego Mussoliniego, więc kult sobowtóra mu nie przeszkadzał. Nie wiem, może było inaczej, może sprawa sobowtóra nie leżała wcale w rękach neofaszystów, lecz w innych, o wiele potężniejszych.

— Wybacz, ale jaką rolę odgrywa rodzina Mussoliniego? Albo nie wie, że Duce żyje, co wydaje mi się niemożliwe, albo godzi się na trzymanie w domu fałszywego trupa.

— Widzisz, nie udało mi się jeszcze zrozumieć położenia rodziny. Myślę, że wiedzieli oni, iż mąż i ojciec żyje i gdzieś się ukrywa. Jeśli w Watykanie, to byłoby im trudno się z nim zobaczyć, bo wchodzący do Watykanu członek rodziny Mussolinich z pewnością zostałby zauważony. Lepszą hipotezą jest Argentyna. Poszlaki? Weź Vittoria Mussoliniego. Od czystek się uchronił, po wojnie przez długi czas pracuje jako inscenizator i scenarzysta filmowy, mieszka w Argentynie. W Argentynie, rozumiesz? Żeby być blisko ojca? Nie możemy być pewni, ale dlaczego w Argentynie? Są zdjęcia Romana

Mussoliniego i innych osób żegnających się na lotnisku Ciampino z Vittoriem, który wyjeżdża do Buenos Aires. Dlaczego Romano przywiązuje taką wagę do podróży brata, który już przed wojną jeździł nawet do Stanów Zjednoczonych? A sam Romano? Po wojnie zostaje słynnym pianistą jazzowym, koncertuje także za granicą; historycy nie piszą o jego artystycznych podróżach, ale czy on także nie dotarł do Argentyny? A żona Rachele? Jest wolną kobietą, nikt nie mógł jej zabronić wybrać się w podróż, może dla niepoznaki najpierw do Paryża albo do Genewy, a stamtąd do Buenos Aires. Kto wie? Kiedy Leccisi wspólnie z Zolim pieką pasztet, o którym mówiliśmy, i wpychają jej nagle te resztki trupa, nie może przecież powiedzieć, że to trup kogoś innego, robi dobrą minę do złej gry i bierze go do domu; przyda się, żeby w oczekiwaniu na powrót Duce prawdziwego podsycać wiarę w faszyzm wśród tęskniących za przeszłością. Zresztą sprawa rodziny mnie nie interesuje, bo w tym miejscu zaczyna się druga część mojego śledztwa.

— Co się dzieje?

— Minęła pora kolacji, a w mojej mozaice brak jeszcze kilku kostek. Pomówimy o tym później.

Nie mogłem zrozumieć, czy Braggadocio jest fenomenalnym autorem powieści w odcinkach, dozującym mi swoje dzieło stopniowo, z należną chwilą suspensu przed każdym „ciąg dalszy nastąpi", czy też rzeczywiście odtwarza jeszcze kawałek po kawałku opowiadaną mi historię. W każdym razie nie chciałem nalegać, bo cała ta krzątanina wokół cuchnących szczątków zdążyła przyprawić mnie o mdłości. Po powrocie do domu ja także łyknąłem środek nasenny.

XV

CZWARTEK, 28 MAJA

— Trzeba pomyśleć o artykule wstępnym na temat uczciwości do numeru 0/2 — powiedział tego ranka Simei. — Wiadomo już, że w partiach była zgnilizna, że wszyscy zgarniali łapówki. Trzeba dać do zrozumienia, że gdybyśmy chcieli, moglibyśmy rozpętać kampanię przeciwko partiom. Należałoby pomyśleć o partii ludzi uczciwych, o partii obywateli zdolnych mówić o innej polityce.

— Uważajmy — ostrzegłem. — Czy nie takie było stanowisko Partii Jakiegokolwiek Człowieka?

— Jakiegokolwiek Człowieka wchłonęła i wykastrowała Demokracja Chrześcijańska, która wówczas była potężna i nadzwyczaj sprytna. Dzisiaj Demokracja Chrześcijańska się chwieje, to już nie jej czasy bohaterskie, sami w niej durnie. Zresztą nasi czytelnicy nie wiedzą już, czym była Partia Jakiegokolwiek Człowieka, to sprawa sprzed czterdziestu pięciu lat — tłumaczył Simei — a nasi czytelnicy nie pamiętają nawet tego, co się stało dziesięć lat temu. W pewnym ważnym dzienniku pisano teraz o obchodach upamiętniających Ruch Oporu, widziałem tam właśnie dwa zdjęcia, na jednym ciężarówka z partyzantami, na drugim zastęp ludzi w charakterystycznych mundurach i z podniesioną w faszystowskim pozdrowieniu ręką, z podpisem „bojówkarze". Ależ skąd, bojówkarze działali w latach dwudziestych i nie nosili mundurów, ci ludzie ze zdjęcia to milicja faszystowska z lat trzydziestych i początku czterdziestych, co świadek w moim wieku łatwo rozpoznaje. Nie wymagam, żeby w redakcjach pracowali wyłącznie świadkowie w moim wieku, ale ja odróżniam bez trudu mundury bersalierów Lamarmory* od mundurów wojsk Bavy Beccarisa**, chociaż kiedy się urodziłem, obaj dawno byli już w grobie. Jeśli tak słabą pamięć mają nasi koledzy, to nie sądzicie chyba, że czytelnicy pamiętają Jakiegokolwiek Człowieka. Wróćmy jednak do mojego pomysłu. Nowa partia uczciwych może sprawić kłopot wielu ludziom.

— *Liga uczciwych* — powiedziała Maia z uśmiechem — to tytuł starej, przedwojennej powieści Giovanniego Moski, która dziś jeszcze mogłaby nas rozbawić. Mowa w niej o takiej *union sacrée* porządnych ludzi, mieli oni mieszać się z nieuczciwymi, aby ich demaskować i w końcu nawracać na uczciwość. Aby jednak nieuczciwi uznawali ich za swoich, członkowie ligi musieli postępować w nieuczciwy sposób. Łatwo sobie wyobrazić, co się potem stało. Liga uczciwych zamieniła się stopniowo w ligę nieuczciwych.

— To literatura, moja śliczna — zareagował Simei — i w ogóle kto jeszcze wie, kim był ten Mosca? Za dużo pani czyta. Mosca niech spoczywa w spokoju, ale jeśli temat budzi pani wstręt, nie będzie pani musiała się nim zajmować. Panie magistrze Colonna, pan mi pomoże napisać artykuł, bardzo mocny i przepełniony cnotą.

— Da się zrobić — powiedziałem. — Wezwanie do uczciwości zawsze doskonale się sprzedaje.

— Liga nieuczciwych uczciwych — podśmiewał się Braggadocio, patrząc na Maię. Rzeczywiście nie byli oni dla siebie

---

* Alessandro Lamarmora — piemoncki generał, zm. w 1855 roku.
** Fiorenzo Bava Beccaris — włoski generał z przełomu XIX i XX wieku.

stworzeni. Ja zaś coraz gorzej znosiłem fakt, że tę ptaszynę, będącą jednocześnie kopalnią wiedzy, Simei więzi w swoim kojcu. Nie wiedziałem jednak wtedy, co mógłbym zrobić, żeby ją uwolnić. Jej problem stał się moją zasadniczą myślą (może był także jej zasadniczą myślą?), wszystko inne coraz mniej mnie zajmowało.

W porze obiadowej, kiedy schodziliśmy do baru na sandwicza, powiedziałem jej:

— Chcesz, żebyśmy wszystko rozwalili, opowiedzieli o tej całej machinacji i zeszmacili Simeiego wraz z innymi?

— I do kogo się zwrócisz? — zapytała. — Po pierwsze, nie rujnuj swojej kariery dla mnie, po drugie, komu o tej sprawie opowiesz, skoro gazety… zaczynam to rozumieć… są wszystkie z tej samej gliny? Chronią się wzajemnie…

— Nie bądź teraz jak Braggadocio, który dopatruje się wszędzie spisków. Ale przepraszam. Mówię tak, ponieważ… — nie wiedziałem, jak sformułować zdanie — ponieważ sądzę, że cię kocham.

— Czy wiesz, że mówisz mi to po raz pierwszy?

— Głuptasku, mamy przecież te same myśli.

To jednak była prawda. Nie powiedziałem czegoś takiego przynajmniej od trzydziestu lat. Był maj, czułem wiosnę w kościach.

Dlaczego pomyślałem o kościach? Dlatego, że — jak sobie przypominam — tego właśnie popołudnia Braggadocio wyznaczył mi spotkanie w dzielnicy Verziere, przed kościołem Świętego Bernardyna od Kości, usytuowanym przy uliczce z wylotem na róg placu Santo Stefano.

— Piękny kościół — mówił mi Braggadocio, kiedy tam wchodziliśmy. — Stał tu od średniowiecza, ale po zawaleniach, pożarach i innych nieszczęściach odbudowano go dopiero w osiemnastym wieku. Wzniesiony został po to, aby było gdzie składać kości z cmentarza trędowatych, znajdującego się początkowo niedaleko stąd.

No i proszę. Braggadocio po rozprawieniu się z trupem Mussoliniego, którego nie mógł raz jeszcze wykopać, szukał teraz innych źródeł pogrzebowych inspiracji. Przeszliśmy zatem korytarzem i dotarliśmy do ossuarium. W pomieszczeniu nie było nikogo, tylko w pierwszym rzędzie ławek klęczała staruszka modląca się z twarzą w dłoniach. Czaszki wypełniały szczelnie nisze usytuowane wysoko między lizenami, poniżej pudła z kośćmi, czaszki ułożone w kształcie krzyża i osadzone w mozaice z białawych kamyczków będących również kośćmi, może cząstkami kręgosłupów, połączeń stawowych, obojczyków, mostków, łopatek, kości ogonowych, nadgarstków i śródręczy, rzepek, stępów, astragali, czy ja wiem czego jeszcze... Wszędzie wznosiły się konstrukcje z kości prowadzące oko widza pionowo w górę aż do sklepienia w stylu Tiepola, świetlistego, radosnego w deszczu różowokremowych obłoków, wśród których krążyli aniołowie i triumfujące dusze. Na półce nad starymi zaryglowanymi drzwiami ziejące oczodołami czaszki ustawione były jak porcelanowe słoje w szafie aptekarza. W niszach na poziomie tułowi zwiedzających, chronionych luźną kratą, przez którą można było wtykać palce, błyszczały kości i czaszki wygładzone w ciągu wieków, jak stopa statui świętego Piotra w Rzymie, dotykiem rąk ludzi pobożnych lub nekrofilów. Czaszek musiało być na oko co najmniej tysiąc, drobnych kości — niezliczona ilość, na lizenach umieszczono wielkie monogramy Chrystusa skonstruowane z piszczeli, które wydawały się zdjęte z flagi Jolly Roger piratów z Tortugi.

— To nie tylko kości trędowatych — mówił mi Braggadocio, jakby na świecie nie istniało nic piękniejszego. — Są tu szkielety z innych pobliskich grobów, należące przede

135

wszystkim do pacjentów zmarłych w szpitalu Brolo, więźniów, którzy zakończyli życie w więzieniu albo zostali ścięci, prawdopodobnie także złodziei i rozbójników, którzy przychodzili umrzeć w kościele, bo nie znajdowali innego miejsca, gdzie mogliby w spokoju wyciągnąć kopyta; Verziere była dzielnicą o bardzo złej sławie... Śmiać mi się chce, kiedy patrzę na tę staruszkę modlącą się tutaj, jakby klęczała przed grobem jakiegoś świętego z przeświętymi relikwiami, a to przecież resztki po zbójach, bandytach, duszach potępionych. Jednak ci starzy mnisi byli bardziej litościwi od grzebiących i odgrzebujących Mussoliniego, widzisz, z jaką troską, z jakim umiłowaniem sztuki, choć może i nie bez cynizmu, poukładali te nędzne kości na wzór bizantyjskich mozaik. Staruszka jest urzeczona tymi obrazami śmierci, które bierze za obrazy świętości. Nie wiem już dokładnie gdzie, ale pod tym ołtarzem powinno być widać na wpół zmumifikowane ciałko dziewczynki, która w noc zmarłych, jak mówią, wychodzi wraz z innymi szkieletami tańczyć taniec śmierci.

Wyobraziłem sobie, że ta psotnica prowadzi swoich kościanych koleżków za rękę aż na ulicę Bagnera, ale nic nie powiedziałem. Równie makabryczne ossuaria widziałem w Rzymie, u kapucynów, i w Palermo — te straszliwe katakumby z zakonnikami w całości, zmumifikowanymi i majestatycznymi w swoich postrzępionych habitach. Braggadocio zadowalał się najwidoczniej lokalnymi, mediolańskimi szkieletami.

— Jest tu także putridarium, schodzi się tam schodkami przed wielkim ołtarzem, ale trzeba by znaleźć zakrystiana i musiałby być w dobrym nastroju. Zakonnicy kładli zwłoki swoich braci na kamiennych ławach, żeby się odwodniły podczas rozkładu. Ciała powoli się wysuszały, wypływała z nich ciecz, zostawały śliczne szkieleciki, lśniące jak zęby z dentystycznych reklam. Kilka dni temu pomyślałem sobie: oto wymarzone miejsce na ukrycie trupa Mussoliniego po porwaniu, którego dokonał Leccisi. Niestety, nie piszę powieści, tylko rekonstruuję fakty historyczne, historia zaś mówi, że szczątki Duce złożono gdzie indziej. Szkoda. Ale właśnie dlatego w ostatnim czasie często odwiedzałem ten zakątek, któremu zawdzięczam wiele pięknych myśli związanych z historią zwłok. Są ludzie, którzy szukają natchnienia, patrząc... czy ja wiem... na Dolomity albo na jezioro Maggiore, ja szukam go tutaj. Powinienem był się zatrudnić jako dozorca kostnicy. To chyba ze względu na pamięć o dziadku, którego spotkał taki smutny koniec, niech spoczywa w spokoju.

— Ale dlaczego właśnie mnie tu przyprowadziłeś?

— Tak sobie, muszę przecież opowiedzieć komuś o tym, co we mnie kipi, bo inaczej oszaleję. Kiedy jeden jedyny pojąłeś prawdę, możesz dostać zawrotu głowy. Tu nie ma nigdy nikogo oprócz przypadkowych turystów z zagranicy, którzy niczego nie rozumieją. A ja doszedłem wreszcie do stay-behind.

— Stej co?

— No więc pamiętasz, że musiałem w końcu zdecydować, co uczyniono z Mussolinim, tym żywym, aby nie musiał gnić w Argentynie lub w Watykanie i skończyć jak jego sobowtór. Co robimy z Duce?

— Co robimy?

— Otóż alianci lub ludzie działający w ich imieniu chcieli pozostawić go żywym, żeby można było we właściwej chwili go wydobyć i posłużyć się nim w walce z rewolucją komunistyczną albo sowiecką agresją. Podczas drugiej wojny światowej Anglicy skoordynowali działalność ruchów oporu w krajach, które były okupowane przez państwa Osi, za pomocą sieci kierowanej przez wydział służb wywiadowczych

Zjednoczonego Królestwa zwany Special Operations Executive. Rozwiązano go po zakończeniu wojny, lecz na początku lat pięćdziesiątych uruchomiono znowu jako rdzeń nowej organizacji mającej w różnych krajach Europy przeciwstawić się inwazji Armii Czerwonej lub miejscowym komunistom próbującym dokonać zamachu stanu. Koordynację zapewniło naczelne dowództwo sił sojuszniczych w Europie i zrodziła się stay-behind... „pozostać z tyłu", „pozostać za liniami"... w Belgii, Anglii, Francji, Niemczech Zachodnich, Holandii, Luksemburgu, Danii i Norwegii. Paramilitarna tajna struktura. We Włoszech jej zapowiedź pojawiła się już w tysiąc dziewięćset czterdziestym dziewiątym roku, dziesięć lat później włoskie tajne służby wchodzą w skład Komitetu Planowania i Koordynacji, wreszcie w tysiąc dziewięćset sześćdziesiątym czwartym oficjalnie powstaje finansowana przez CIA organizacja Gladio. Gladio: ta nazwa powinna coś ci powiedzieć, bo *gladius*, miecz, był bronią rzymskich legionistów, więc mówiąc „Gladio", używało się słowa, które było bliskie drogiemu faszystom określeniu „rózgi liktorskie" czy czemuś w tym rodzaju. Nazwa mogąca przyciągnąć emerytowanych wojskowych, łowców przygód i ludzi tęskniących za faszystowską przeszłością. Wojna była skończona, ale wielu karmiło się jeszcze wspomnieniami bohaterskich dni, ataków z granatem w każdej ręce i kwiatem w ustach, koszenia z pistoletów maszynowych. Byli to pogrobowcy Republiki Socjalnej, sześćdziesięcioletni idealiści i katolicy przerażeni wizją kozaków pojących swoje konie w kropielnicach na placu Świętego Piotra, a także fanatyczni zwolennicy skasowanej monarchii. Zdaniem niektórych zaangażował się nawet Edgardo Sogno, niegdyś przecież dowódca oddziałów partyzanckich w Piemoncie, bohater, ale i monarchista po same uszy, a więc związany z kultem minionych już czasów. Rekrutów wysyłano do obozu ćwiczebnego na Sardynii, gdzie uczyli się... albo przypominali sobie... jak minować mosty, obsługiwać karabiny maszynowe, z puginałem w zębach napadać nocą na nieprzyjacielskie oddziały, dokonywać aktów sabotażu, prowadzić wojnę partyzancką...

— Ale byli to chyba emerytowani pułkownicy, schorowani wachmistrze, rachityczni księgowi, nie widzę ich wspinających się na filary mostów i słupy wysokiego napięcia jak w *Moście na rzece Kwai*.

— Tak, ale nie brakowało wśród nich także młodych neofaszystów i najrozmaitszych apolitycznych zuchów.

— Wydaje mi się, że coś o tym czytałem ze dwa lata temu.

— Całkiem możliwe. Od samego początku Gladio otaczała bezwzględna tajemnica, wiedziały o niej tylko tajne służby i naczelne dowództwo armii, a o jej istnieniu powiadamiano jedynie kolejnych premierów, ministrów obrony i prezydentów. Później, po upadku imperium sowieckiego, organizacja straciła w praktyce swój cel, może też zbyt dużo kosztowała. W dziewięćdziesiątym roku prezydentowi Cossiga wymknęły się pewne niedyskrecje, a premier Andreotti w tym samym roku oświadczył już oficjalnie, że owszem, Gladio istniała, nie ma nad czym się rozwodzić, była konieczna, ale teraz jest po wszystkim i dość plotek. Nikt też nie robił z tego dramatu, wszyscy o Gladio prawie zapomnieli. Jedynie we Włoszech, w Belgii i Szwajcarii rozpoczęto nieśmiało parlamentarne dochodzenia, ale George H.W. Bush odmówił wszelkich komentarzy, bo przygotowywał się właśnie do wojny w Zatoce i nie chciał zeszmacić Paktu Północnoatlantyckiego. Sprawę zatuszowano we wszystkich krajach, które przystały do stay-behind, choć nie zabrakło drobnych incydentów. We Francji wiadomo było od dawna, że osławioną OAS utworzono przy udziale członków francuskiej stay-behind, ale po nieudanym zamachu stanu w Algierze de Gaulle przywołał dysydentów do porządku. W Niemczech wiedziano, że bombę, która eksplodowała na Oktoberfest w Monachium w tysiąc dziewięćset osiemdziesiątym roku, skonstruowano z materiałów wybuchowych pochodzących z kryjówki niemieckiej stay-behind. W Grecji armia stay-behind — Helleńska Siła Szturmowa — wywołała zamach stanu pułkowników. W Portugalii tajemnicza Aginter Press spowodowała zamordowanie Eduarda Mondlane, szefa Frente de Libertação de Moçambique, Frontu Wyzwolenia Mozambiku. W Hiszpanii w rok po śmierci Franco dwaj karliści zostają zamordowani przez terrorystów ze skrajnej prawicy, a rok później stay-behind dokonuje masakry w madryckim biurze prawnym związanym z Partią Komunistyczną. W Szwajcarii jeszcze dwa lata temu pułkownik Aboth, były komendant miejscowej stay--behind, oświadcza w poufnym liście do Departamentu Obrony, że gotów jest wyjawić „całą prawdę" — i zostaje znaleziony w domu martwy, zakłuty własnym bagnetem. W Turcji powiązane są ze stay-behind Szare Wilki, zamieszane później w zamach na Jana Pawła II. Mógłbym kontynuować, odczytałem ci tylko część swoich notatek, ale, jak widzisz, chodzi o drobiazgi, zabójstwo tu, zabójstwo tam, sprawa trafia do kroniki, potem za każdym razem popada w zapomnienie. Rzecz w tym, że gazety nie służą rozpowszechnianiu wiadomości, służą ich ukrywaniu. Zdarza się fakt x, ty nie możesz o nim nie napisać, ale zbyt wielu ludziom sprawia to kłopot, więc w tym samym numerze umieszczasz wielkie tytuły, od których włosy stają dęba: matka zarzyna nożem czterech synów, możemy stracić wszystkie nasze oszczędności, odkryto list Garibaldiego z wyzwiskami skierowany do Nina Bixio, jego prawej ręki. Wtedy tamta wiadomość tonie w morzu informacji. Mnie jednak interesuje to, czego Gladio dokonała we Włoszech od lat sześćdziesiątych do tysiąc dziewięćset dziewięćdziesiątego roku. A musiała nieźle narozrabiać, skumała się z terrorystami ze skrajnej prawicy, odegrała rolę w zamachu na placu Fontana w sześćdziesiątym dziewiątym roku i odtąd... jesteśmy w czasach studenckich zamieszek z sześćdziesiątego ósmego i robotniczych gorących jesieni... ktoś zrozumiał, że mogła zachęcać do zamachów terrorystycznych, aby odpowiedzialność za nie przypisywać lewicy. Mówi się, że wtykała w to nos także osławiona loża P2 Licia Gellego[*]. Ale dlaczego organizacja mająca walczyć z Sowietami zajmuje się tylko terroryzmem? Musiałem przebadać całą historię księcia Junia Valeria Borghese.

Słowa Braggadocia przypomniały mi w tym miejscu wiele rzeczy, o których czytałem w prasie, ponieważ w latach sześćdziesiątych sporo pisano o wojskowych zamachach stanu, o „pobrzękiwaniu szablami”. Pamiętałem pogłoski o zamachu stanu planowanym (choć nigdy nie dokonanym) przez generała De Lorenzo. Braggadocio jednak przywiódł mi teraz na myśl *golpe* nazwany zamachem leśniczych. Była to historia dość groteskowa, na jej podstawie nakręcono chyba nawet film satyryczny. Junio Valerio Borghese, zwany także czarnym księciem, dowódca Dziesiątej Flotylli, uchodził za dość odważnego, był faszystą po czubek głowy; przystąpił oczywiście do Republiki Socjalnej, trudno było więc zrozumieć, dlaczego w czterdziestym piątym roku, kiedy rozstrzeliwano z wielką łatwością, jemu nic się nie stało. Zachował swoją sławę nieskazitelnego bojownika w berecie na bakier, z pistoletem maszynowym przewieszonym przez plecy, w charakterystycznych spodniach swojego oddziału, bufiastych w kostkach, w swetrze pod szyję — a miał przy tym wszystkim twarz taką, że widząc go na ulicy ubranego jak księgowy, nikt nie zwróciłby nań uwagi.

---

[*] Organizacja pseudomasońska o charakterze przestępczym.

Otóż w tysiąc dziewięćset siedemdziesiątym roku Borghese doszedł do wniosku, że pora na zamach stanu. Zdaniem Braggadocia odegrał tu rolę fakt, że Mussolini — jeśli miano by sprowadzić go z powrotem z wygnania — ukończyłby niebawem osiemdziesiąt siedem lat, więc nie można było czekać zbyt długo, bo już w czterdziestym piątym roku wyglądał na człowieka w nie najlepszym stanie.

— Czasami wzrusza mnie ten biedak — mówił Braggadocio. — Wyobraź sobie, w Argentynie musiał mieć jeszcze jako tako, ze względu na wrzód nie mógł wprawdzie zajadać tamtejszych ogromnych befsztyków, ale mógł przynajmniej patrzeć na bezkresną pampę (jednak co to za przyjemność, przez dwadzieścia pięć lat!). Jeżeli jednak został w Watykanie, wiodło mu się gorzej: co najwyżej wieczorny spacer w jakimś ogródku i zupki podawane przez wąsatą zakonnicę. Musiał też rozmyślać nad utratą Włoch i kochanki, nad tym, że nie może uściskać swoich dzieci, niewykluczone też, że zaczynało mącić mu się w głowie. Cały dzień w fotelu rozpamiętując minioną chwałę, oglądając to, co dzieje się na świecie, tylko w czarno-białym telewizorze, kiedy jego przyćmiony wiekiem, lecz podniecony syfilisem umysł przypomina mu dawne czasy. Triumfalne mowy z balkonu pałacu Weneckiego, letnie młócenie zboża z nagą piersią, całowanie dzieci, których pałające żądzą matki ślinią mu dłonie, albo popołudnia w Sali Globusowej, dokąd kamerdyner Navarra wprowadzał mu drżące z pożądania damy, a on, rozpiąwszy w pośpiechu rozporek spodni do konnej jazdy, rzucał je na biurko i zapładniał w kilka sekund; wyły wtedy jak suczki w rui i szeptały „ach, Duce, mój Duce...". Rozpamiętywał to wszystko ze sflaczałym już ptaszkiem, ślina ciekła mu z ust, a ktoś wbijał mu do głowy myśl o bliskim zmartwychwstaniu. Przypominam tu sobie dowcip o Hitlerze. Też jest na wygnaniu w Argentynie, neonaziści chcą go przekonać, żeby wrócił na scenę i dokonał podboju świata, on ociąga się, długo waha, bo wiek liczy się także dla niego, lecz wreszcie podejmuje decyzję i mówi: zgoda, ale tym razem będziemy... rzeczywiście *niedobrzy*, prawda?

A więc — ciągnął Braggadocio — w tysiąc dziewięćset siedemdziesiątym roku wyglądało na to, że zamach stanu się uda. Szefem tajnych służb był generał Miceli, członek loży P2, który kilka lat później miał zostać posłem z ramienia neofaszystowskiego Włoskiego Ruchu Społecznego; zauważ, w sprawie Borghesego był podejrzanym, wszczęto przeciw niemu dochodzenie, ale wyszedł z tego i zmarł spokojnie przed dwoma laty. Dowiedziałem się też z pewnego źródła, że jeszcze dwa lata po zamachu księcia Borghese Miceli otrzymał z ambasady amerykańskiej osiemset tysięcy dolarów, nie wiadomo dlaczego i w jakim celu. Borghese mógł więc liczyć na świetnych sojuszników na wysokim szczeblu, a także na Gladio, na weteranów falangistowskich z wojny hiszpańskiej, na środowiska masońskie; mówiono poza tym, że do gry włączyła się mafia, która, jak wiesz, zawsze do wszystkiego się włącza. W cieniu stał jak zwykle Licio Gelli podjudzający karabinierów i wyższych wojskowych, wśród których i tak roiło się od masonów. Posłuchaj teraz uważnie historii Licia Gellego, bo ma kluczowe znaczenie dla mojej tezy. A zatem Gelli... nigdy temu nie przeczył... był na wojnie w Hiszpanii, w Republice Socjalnej pracował jako oficer łącznikowy z SS, ale jednocześnie kontaktował się z partyzantami; po wojnie związał się z CIA. Podobna osobistość nie mogła nie być zaznajomiona z Gladio. Posłuchaj jednak tego. W lipcu tysiąc dziewięćset czterdziestego drugiego roku zlecono mu jako inspektorowi Narodowej Partii Faszystowskiej przetransportować do Włoch zarekwirowany przez SIM, Wojskową Służbę Informacyjną, skarb Piotra II, króla Jugosławii: sześćdziesiąt ton złota w sztabkach, dwie tony starych monet, sześć milionów dolarów, dwa miliony funtów. W tysiąc dziewięćset czterdziestym siódmym roku skarb zostaje wreszcie zwrócony, ale bez dwudziestu ton złota w sztabkach, o których mówi się, że Gelli przesłał je do Argentyny. Do Argentyny, rozumiesz? W Argentynie Gelli jest zaprzyjaźniony z Peronem, ale nie tylko, również z takimi generałami jak Videla, otrzymuje też argentyński paszport dyplomatyczny. Kto zaś w Argentynie działa? Jego prawa ręka Umberto Ortolani, który, pomijając wszystko inne, jest także łącznikiem między Gellim a prałatem Marcinkusem. A zatem? Zatem wszystko prowadzi nas do Argentyny, gdzie przebywa Duce i gdzie przygotowuje się jego powrót, więc oczywiście potrzebne są pieniądze, dobra organizacja i pomoc na miejscu. Dlatego właśnie Gelli odgrywa zasadniczą rolę w planie księcia Borghese.

— Przedstawiasz to w sposób, który wydaje się przekonujący…

— Jest przekonujący. Nie zmienia to faktu, że księciu udało się zmobilizować tylko prawdziwą zbieraninę, do której obok stęsknionych za faszyzmem dziadków (sam Borghese przekroczył już sześćdziesiątkę) należały elementy aparatu państwowego, a nawet oddziały Straży Leśnej… nie pytaj mnie, dlaczego właśnie Straży Leśnej, może dlatego, że po wojnie powycinano lasy i nie miała nic lepszego do roboty. Jednak nawet ta zbieranina mogła dokonać wiele złego. Z późniejszych akt procesowych wynika, że Licio Gelli miał zatroszczyć się o schwytanie prezydenta republiki — był nim wówczas Saragat — a pewien armator z Civitavecchia oddał do dyspozycji swoje statki handlowe, żeby przewoziły na Wyspy Liparyjskie uwięzione przez zamachowców osoby. I nie uwierzysz, kto jeszcze miał uczestniczyć w akcji! Otto Skorzeny, ten, który uwolnił Mussoliniego z góry Gran Sasso w czterdziestym trzecim roku! Był jeszcze w obiegu, jego też oszczędziły gwałtow-

ne powojenne czystki; utrzymywał kontakt z CIA, miał za-
gwarantować, że Stany Zjednoczone nie sprzeciwią się
zamachowi stanu, pod warunkiem że do władzy dojdzie
wojskowa junta „centrodemokratyczna". Pomyśl tylko, co
za obłudna formuła! Późniejsze dochodzenia nigdy jednak
nie wykazały, że Skorzeny był najwidoczniej nadal w kon-
takcie z Mussolinim, który wiele mu zawdzięczał; może to
on miał zająć się powrotem Duce z wygnania, stworzeniem
bohaterskiej scenerii, której potrzebowali zamachowcy.
W gruncie rzeczy cały zamach opierał się na triumfalnym
powrocie Mussoliniego. Posłuchaj mnie teraz dobrze. Zamach zaplanowano dokładnie już w tysiąc dziewięćset
sześćdziesiątym dziewiątym roku — uważaj — w roku masakry na placu Fontana, dokonanej z pewnością po to, aby
obciążyć podejrzeniami lewicę i przygotować psychicznie
opinię publiczną na „przywrócenie porządku". Borghese
przewidywał zajęcie Ministerstwa Spraw Wewnętrznych,
Ministerstwa Obrony, siedzib Włoskiego Radia i Telewizji,
ośrodków telekomunikacji (radio i telefony) i deportację
parlamentarzystów z opozycji. To nie są moje wymysły, bo
odnaleziono potem proklamację, którą Borghese miał wygłosić przez radio, o treści mniej więcej następującej: nadszedł wreszcie od dawna oczekiwany polityczny przewrót,
politycy będący u władzy od dwudziestu pięciu lat doprowa-
dzili Włochy na krawędź upadku gospodarczego i moralne-
go, siły zbrojne i siły porządkowe popierają przejęcie rządów
przez sprawców zamachu stanu. „Włosi — miał zakończyć
Borghese — przyjmując z naszych rąk okryty chwałą trój-
kolorowy sztandar, wznieście przepełniony miłością okrzyk:
niech żyje Italia!". Typowa retoryka Mussoliniego.

Między siódmym a ósmym grudnia — przypominał mi
Braggadocio — napłynęły do Rzymu setki spiskowców,

zaczęto rozdawać broń i amunicję, dwóch generałów usadowiło się w Ministerstwie Obrony, grupa uzbrojonych leśniczych zajęła pozycje w pobliżu siedzib państwowej telewizji, w Mediolanie przygotowywano opanowanie Sesto San Giovanni, tradycyjnego bastionu komunistów.

— I co się nagle dzieje? Wydawało się, że sprawy dobrze idą, można było powiedzieć, że konspiratorzy mają Rzym w ręku, a tu Borghese zawiadamia wszystkich, że akcja zostaje zawieszona. Później powiedziano, że wierny rządowi aparat państwowy wystąpił przeciwko sprzysiężeniu, lecz w takim wypadku należało zaaresztować Borghesego dzień wcześniej, nie czekając, aż Rzym zapełnią gajowi w mundurach. W każdym razie aferę likwiduje się prawie po cichu, zamachowcy znikają bez problemów, Borghese ucieka do Hiszpanii, daje się zaaresztować tylko kilku głupców, wszystkim przyznaje się zresztą prawo do „aresztu" w prywatnych klinikach, niektórych „chorych" odwiedza generał Miceli, obiecując protekcję w zamian za milczenie. Jest kilka dochodzeń parlamentarnych, prasa pisze o nich bardzo mało, właściwie opinia publiczna dowiaduje się ogólnikowo o wydarzeniach dopiero po trzech miesiącach. Nie chcę wiedzieć, jak do tego doszło, interesuje mnie, dlaczego przygotowany tak pieczołowicie zamach stanu odwołano w ciągu kilku godzin, wskutek czego nader poważne przedsięwzięcie zamieniło się w farsę. Dlaczego?

— To ja pytam ciebie.

— Chyba tylko ja postawiłem sobie to pytanie, a z pewnością jestem jedynym, który znalazł na nie odpowiedź. Jest ona jasna jak słońce: tamtej nocy nadchodzi wiadomość, że Mussolini, być może już na terenie kraju, gotowy się pokazać, niespodziewanie zmarł, co w jego wieku, po tym, jak przerzucano go z miejsca na miejsce jak paczkę pocztową, nie było bynajmniej nieprawdopodobne. Zamach zostaje od-

146

wołany, ponieważ jego charyzmatyczny symbol znikł, tym razem na dobre, po dwudziestu pięciu latach od śmierci rzekomej.

Oczy Braggadocia błyszczały, wydawały się oświetlać otaczającą nas procesję czaszek, ręce mu drżały, na usta występowała biaława ślina. Schwycił mnie za ramiona.

— Rozumiesz, Colonna, oto moja rekonstrukcja faktów.

— Ale jeśli dobrze sobie przypominam, był jednak proces...

— Śmiechu wart, Andreotti pomógł wszystko zatuszować, do więzienia trafiły same drugorzędne postacie. Rzecz w tym, że wszystko, o czym wiedzieliśmy, było fałszywe lub zniekształcone, a my żyliśmy oszukani przez następne dwadzieścia lat. Mówiłem ci, że nie trzeba nigdy wierzyć w to, co nam opowiadają...

— Twoja historia tutaj się kończy...

— Wcale nie, zaczyna się inna, którą mógłbym się nie interesować, gdyby to, co zdarzyło się później, nie było bezpośrednim skutkiem zgonu Mussoliniego. Kiedy zabrakło figury Duce, Gladio pod żadną postacią nie mogła już marzyć o zdobyciu władzy, tym bardziej że oddalała się perspektywa sowieckiego najazdu, bo świat zmierzał powoli ku odprężeniu. Jednak Gladio się nie rozwiązuje, wręcz przeciwnie, zaczyna działać naprawdę intensywnie, właśnie poczynając od śmierci Mussoliniego.

— Jak?

— Ponieważ nie chodzi już o ustanowienie nowej władzy poprzez obalenie istniejącego rządu, Gladio sprzymierza się ze wszystkimi tajnymi siłami, które usiłują Włochy zdestabilizować, aby postępy sił lewicy wydały się nie do zniesienia i aby przygotować grunt pod nowe formy represji odpowiadające wszelkim regułom praworządności. Czy uświadamiasz sobie, że przed akcją Borghesego mało było zamachów w rodzaju tego na placu Fontana i że dopiero w tamtym roku zaczynają się formować Czerwone Brygady, a w latach następnych mamy już cały łańcuch masakr? Tysiąc dziewięćset siedemdziesiąt trzy: bomba w mediolańskiej kwesturze, tysiąc dziewięćset siedemdziesiąt cztery: masakra na placu della Loggia w Brescii, w tym samym roku potężna bomba wybucha w pociągu Italicus relacji Rzym–Monachium, dwunastu zabitych i czterdziestu ośmiu rannych, ale — uwaga! — tym pociągiem miał jechać także Aldo Moro; spóźnił się na niego, bo w ostatniej chwili urzędnicy ministerialni przynieśli mu do podpisu pilne dokumenty. Dziesięć lat później inna bomba w pośpiesznym Neapol–Mediolan. Pomijam już sprawę Moro, do dziś nie wiemy, co naprawdę się stało. To nie wszystko. We wrześniu tysiąc dziewięćset siedemdziesiątego ósmego roku, w miesiąc po konklawe, umiera w tajemniczych okolicznościach papież Albino Luciani. Zawał albo udar, powiedziano, ale dlaczego z sypialni papieża zniknęły potem jego rzeczy osobiste — pantofle, notatki i buteleczka leku Effortil, który starszy pan najwidoczniej zażywał na swoje niskie ciśnienie? Dlaczego te przedmioty musiały zapaść się w nicość? Może dlatego, że nie było prawdopodobne, aby człowieka z niskim ciśnieniem trafił szlag. Dlaczego pierwszą ważną osobistością, która niezwłocznie weszła do sypialni, był kardynał Villot? Powiesz, że to oczywiste, był sekretarzem stanu, ale istnieje książka niejakiego Yallopa, z której wiele się dowiadujemy. Papież miał zainteresować się istnieniem kościelno-masońskiej kamaryli, do której należeli podobno Villot właśnie i prałaci: Agostino Casaroli, wicedyrektor „Osservatore Romano", dyrektor Radia Watykańskiego i naturalnie Marcinkus, ten wszechobecny monsignore trzęsący watykańskim bankiem IOR, zanim wyszło na jaw, że instytucja ta ułatwiała oszustwa podatkowe i pranie brudnych pieniędzy oraz kryła ciemne machinacje takich postaci jak Roberto Calvi i Michele Sindona, którzy dziwnym trafem zmarli obaj w następnych latach: pierwszy powieszony pod mostem Blackfriars w Londynie, drugi otruty w więzieniu. Na biurku Lucianiego znaleziono egzemplarz tygodnika „Il Mondo" otwarty na stronie z artykułem o śledztwie dotyczącym działalności watykańskiego banku. Yallop podejrzewa o dokonanie morderstwa sześć osób: Villota, kardynała chicagowskiego Johna Cody'ego, Marcinkusa, Sindonę, Calviego i Licia Gellego, znanego nam czcigodnego mistrza loży P2. Powiesz mi, że to wszystko nie powinno mieć nic wspólnego z Gladio, ale dziwnym trafem wiele z tych postaci było zamieszanych w inne intrygi, a Watykan odegrał rolę w ratowaniu i ukrywaniu Mussoliniego. Może Luciani to właśnie odkrył, chociaż minęło już kilka lat od rzeczywistej śmierci Duce, może chciał rozprawić się z tym klanem, który od zakończenia drugiej wojny światowej przygotowywał zamach stanu. Dodam, że po śmierci Lucianiego sprawa trafiła prawdopodobnie w ręce Jana Pawła II, który w trzy lata później pada ofiarą zamachu ze strony tureckich Szarych Wilków, tych samych, które — jak ci powiedziałem — przyłączyły się do stay-behind w swoim kraju… Papież potem wybacza, wzruszony zamachowiec pokutuje w więzieniu, ale, krótko mówiąc, Jan Paweł II jest przestraszony i nie zajmuje się już tą sprawą, także dlatego, że Włochy niewiele go obchodzą, wydaje się, że bardziej dba o zwalczanie sekt protestanckich w Trzecim Świecie. I tak przynajmniej jego zostawiają w spokoju. Czy te wszystkie zbiegi okoliczności ci wystarczą?

— Czy jednak twoja skłonność do dopatrywania się wszędzie spisków nie sprawia, że wsadzasz wszystko do jednego worka?

— Moja skłonność? Są przecież akta sądowe, trzeba umieć szukać po archiwach, tyle że ludziom wspominano o tych wydarzeniach mimochodem, między jedną ważną wiadomością a drugą. Weź sprawę z Peteano. W maju tysiąc dziewięćset siedemdziesiątego drugiego roku w pobliżu Gorycji karabinierzy dowiadują się, że na jednej z dróg stoi opuszczony fiat 500 z dwoma otworami po kulach w przedniej szybie. Przychodzą trzej funkcjonariusze, próbują podnieść maskę i ponoszą śmierć na skutek eksplozji. Przez jakiś czas podejrzewa się Czerwone Brygady, ale kilka lat później odzywa się niejaki Vincenzo Vinciguerra. Posłuchaj, co to za typ. Po innej aferze udało mu się uniknąć więzienia, bo schronił się w Hiszpanii, przygarnęła go międzynarodowa sieć antykomunistyczna Aginter Press; tam dzięki kontaktom z podobnym mu prawicowym terrorystą Stefanem Delle Chiaie wstępuje do Awangardy Narodowej, potem rozpływa się w Chile i w Argentynie, lecz w tysiąc dziewięćset siedemdziesiątym ósmym roku dochodzi łaskawie do wniosku, że cała jego walka przeciwko państwu była pozbawiona sensu, i zgłasza się we Włoszech na policję. Zauważ, że nie wyraża skruchy, nadal jest zdania, że tak jak postępował dotąd, postępował słusznie. Spytasz więc: dlaczego oddał się w ręce władz? Moim zdaniem dlatego, że chciał reklamy. Są powracający na miejsce zbrodni mordercy, są serial killers podsuwający policji trop, gdyż pragną być aresztowani, inaczej bowiem nie trafiliby na pierwsze strony gazet. Otóż ten Vinciguerra zaczyna od razu sypać wyznaniami. Bierze na siebie odpowiedzialność za zamach w Peteano i przysparza kłopotu władzom, utrzymując, że cieszył się ich protekcją. Dopiero w tysiąc dziewięćset osiemdziesiątym czwartym roku pewien sędzia, nazwiskiem Casson, ustala, że użyty w Peteano materiał wybuchowy pochodził ze składu broni organizacji Gladio, a rzeczą najbardziej intrygującą jest to, że o istnieniu owego składu doniósł mu kto... nie zgadłbyś nigdy, tysiąc do jednego... Andreotti, który zatem wiedział, ale nigdy nie puścił pary z ust. Pracujący dla włoskiej policji biegły (członek Nowego Porządku) dokonał ekspertyzy, zgodnie z którą w Peteano użyto takich samych materiałów wybuchowych jak te, które stosowały Czerwone Brygady, lecz Casson dowiódł, że była to substancja wybuchowa C-4, będąca na wyposażeniu sił NATO. Krótko mówiąc, piękna gmatwanina, ale, jak widzisz, między NATO a Brygadami mamy ciągle Gladio. Tylko że z dochodzeń wynika, iż także Nowy Porządek współpracował z SID, włoską wojskową służbą wywiadowczą, a rozumiesz przecież, że jeśli tajne służby wojskowe wysadzają w powietrze trzech karabinierów, to nie robią tego z nienawiści do Korpusu Karabinierów, ale dlatego, żeby odpowiedzialność spadła na aktywistów skrajnej lewicy. Streszczam się: po dochodzeniach w jedną i drugą stronę Vinciguerrę skazano na dożywocie, on zaś w więzieniu dalej opowiada rewelacje o strategii napięcia. Mówi o masakrze w Bolonii (widzisz, że masakry są ze sobą powiązane, to nie mój wymysł) i utrzymuje, że zamach na placu Fontana w tysiąc dziewięćset sześćdziesiątym dziewiątym zaplanowano po to, aby skłonić ówczesnego premiera Mariana Rumora do wprowadzenia stanu wyjątkowego. Dodaje jeszcze, cytuję: „Nie można ukrywać się bez pieniędzy. Nie można ukrywać się bez pomocy. Mogłem wybrać drogę, którą poszli inni, znaleźć pomoc choćby w Argentynie, u tajnych służb. Mogłem także wejść na ścieżkę przestępstwa. Nie nadaję się jednak ani na współpracownika tajnych służb, ani na przestępcę. Dlatego żeby odzyskać wolność, miałem tylko jeden wybór: oddać się w ręce władz. I to właśnie zrobiłem". To oczywiście logika zwariowanego ekshibicjonisty, ale ten wariat ma miarodajne informacje. Taka jest więc moja historia, w praktyce już zrekonstruowana: cień Mussoliniego, którego ogłoszono martwym, unosi się nad wszystkimi wydarzeniami politycznymi we Włoszech od tysiąc dziewięćset czterdziestego piątego roku, powiedziałbym, aż do dzisiaj, natomiast od jego śmierci rzeczywistej zaczyna się w historii naszego kraju okres najstraszniejszy, z udziałem stay-behind, CIA, NATO, Gladio, loży P2, mafii, wyższych wojskowych, ministrów jak Andreotti i prezydentów jak Cossiga oraz, rzecz jasna, znacznej części organizacji terrorystycznych skrajnej lewicy, należycie wyposażonych we wtyczki i zdalnie sterowanych. Powiem jeszcze, że Moro został porwany i zamordowany dlatego, że coś wiedział i mógłby zacząć mówić. Jeśli chcesz dodać do tego pomniejsze przestępstwa kryminalne, pozbawione z pozoru wszelkiego politycznego znaczenia...

— Tak, bestia z ulicy San Gregorio, kobieta wyrabiająca mydło z trupów, potwór z ulicy Salaria...

— Nie bądź sarkastyczny, pomińmy lepiej te pierwsze sprawy z lat powojennych, ale co się tyczy całej reszty, jest rzeczą bardziej racjonalną, jak to się mówi, widzieć całokształt dziejów zdominowany przez jedną wirtualną postać, która jak gdyby kierowała ruchem z balkonu pałacu Weneckiego, chociaż nikt tego nie dostrzegał. Szkielety — wskazał na zgromadzone wokół nas milczące figury — zawsze mogą wyjść w nocy i zainscenizować swój taniec śmierci. Więcej jest znaków na ziemi i niebie itd., itd., sam wiesz. Nie ulega jednak wątpliwości, że po zniknięciu zagrożenia ze strony Sowietów organizację Gladio oficjalnie złożono do lamusa; zarówno Cossiga, jak i Andreotti mówili o niej, aby egzorcyzmować widmo, przedstawiać ją jako coś normalnego, powstałego za zgodą władz, jako złożoną z patriotów wspólnotę, na wzór związku karbonariuszy z dawnych czasów. Ale czy naprawdę wszystko się skończyło, czy nie przetrwały zawzięte, działające w cieniu grupy? Myślę, że czekają nas jeszcze przykre niespodzianki.

Rozejrzał się wokół poirytowany.

— Ale teraz lepiej chodźmy stąd, nie podoba mi się ta wchodząca grupa Japończyków. Orientalni szpiedzy są wszędzie, obecnie włączyły się w to także Chiny, oni rozumieją wszystkie języki.

Przy wyjściu, odetchnąwszy na świeżym powietrzu pełną piersią, spytałem:

— Czy ty jednak wszystko dokładnie sprawdziłeś?

— Rozmawiałem z osobami, które wiele wiedzą, prosiłem o radę także naszego kolegę Lucidiego. Może o tym nie wiesz, ale jest powiązany z tajnymi służbami.

— Wiem, wiem. Ufasz mu?

— To ludzie nawykli milczeć, nie martw się. Potrzebuję jeszcze kilku dni, żeby zebrać więcej nieodpartych dowodów. Nieodpartych, powtarzam. Potem idę do Simeiego i przedstawiam mu wyniki swojego dochodzenia. Dwanaście odcinków do dwunastu numerów zerowych.

Żeby zapomnieć o kościach w kościele Świętego Bernardyna, zaprosiłem wieczorem Maię do restauracji na kolację przy świecach. Nie opowiadałem jej oczywiście o Gladio, unikałem dań wymagających usuwania kości i pozbyłem się z wolna popołudniowego koszmaru.

XVI

SOBOTA, 6 CZERWCA

Braggadocio wziął potem kilka dni wolnego, aby wygładzić swoje rewelacje, a w czwartek zamknął się na prawie całe przedpołudnie z Simeim w jego gabinecie. Kiedy wychodził stamtąd koło jedenastej, Simei polecił mu:

— Niech pan raz jeszcze sprawdzi tę informację, bardzo proszę, muszę być pewny.

— Nie ma obawy — odpowiedział promieniejący dobrym humorem i optymizmem Braggadocio. — Wieczorem spotkam się z kimś, komu ufam, i sprawdzę znowu, po raz ostatni.

Reszta redakcji zajęta była opracowywaniem niezbędnych stron pierwszego zerowego numeru: sport, gry w wykonaniu Palatina, kilka listów dementujących, horoskopy, nekrologi.

— Coś jeszcze wymyślimy — powiedział w pewnej chwili Costanza — ale zdaje mi się, że nie zapełnimy dwudziestu czterech stron. Potrzeba więcej wiadomości.

— Dobrze — powiedział Simei. — Panie magistrze Colonna, niech i pan pomoże.

— Wiadomości nie musimy wymyślać — zauważyłem. — Wystarczy ponownie wprowadzić je do obiegu.

— Jak?

— Ludzie mają krótką pamięć. Uciekamy się do paradoksu. Wszyscy powinni wiedzieć, że Cezara zamordowano w idy marcowe, ale trochę im się to miesza. Bierzemy wyda-

154

ną niedawno angielską książkę, nowe ujęcie historii Cezara, dajemy sensacyjny tytuł *Doniosłe odkrycie historyków z Cambridge: Cezara zamordowano rzeczywiście w idy marcowe*, opowiadamy wszystko ponownie i już jest doskonały artykuł. Z tą historią Cezara trochę przesadziłem, zgoda, ale kiedy piszemy o sprawie Pio Albergo Trivulzio, możemy także napisać artykuł o jej podobieństwie do sprawy Banku Rzymskiego. To afera z końca dziewiętnastego wieku, nie ma nic wspólnego z obecnymi skandalami, ale skandal przyciąga skandal, wystarczą aluzje do pewnych pogłosek i opowiadamy o sprawie Banku Rzymskiego, jakby zdarzyła się ona wczoraj. Sądzę, że Lucidi coś ciekawego mógłby z tym zrobić.

— Doskonale — powiedział Simei. — Panie Cambria, co się dzieje?

— Widzę depeszę agencyjną, jeszcze jedna madonna zaczęła płakać w jakiejś wiosce na południu kraju.

— Świetnie, niech pan spłodzi o tym sensacyjny artykuł!

— Coś o powtarzalności przesądów…

— Bynajmniej! Nie jesteśmy biuletynem towarzystwa ateistów i racjonalistów. Ludzie chcą cudów, nie sceptycyzmu salonowych radykałów. Pisanie o cudzie nie oznacza, że mamy się kompromitować, oświadczając, iż nasza gazeta w niego wierzy. Opowiadamy o fakcie lub mówimy, że ktoś był świadkiem faktu. Dziewice płaczą albo nie, to nie nasz interes. Wnioski powinien wyciągnąć czytelnik; jeśli jest wierzący, to uwierzy. Tytuł na kilka kolumn.

Wszyscy w podnieceniu zabrali się do pracy. Przechodząc obok biurka skupionej nad nekrologami Mai, powiedziałem:

— Tylko nie zapomnij: niepocieszona rodzina…

— Zaś przyjaciel Filiberto stoi wzruszony obok ukochanej Matyldy oraz najdroższych mu Mariusza i Sereny — odpowiedziała.

— Lepiej Wioletty przez „v" albo Gizeli przez podwójne „l". — Uśmiechnąłem się do niej zachęcająco i odszedłem.

Spędziłem wieczór z Maią. Udało mi się znowu — jak już nieraz — zamienić w alkowę jej pokoik zawalony wieżami z książek, z trudem utrzymującymi równowagę.

Między tymi stosami leżało wiele płyt — same winylowe, muzyka klasyczna, spadek po dziadkach. Niekiedy słuchaliśmy ich długo, wyciągnięci na łóżku. Tego wieczoru Maia nastawiła Siódmą Beethovena i z wilgotnymi oczami opowiedziała mi, że od wczesnej młodości zbierało jej się na płacz, kiedy słuchała jej drugiego tempa.

— Miałam szesnaście lat, wtedy to się zaczęło. Byłam bez pieniędzy, dzięki pewnemu znajomemu mogłam dostać się gratis na galerię, ale nie miałam gdzie siedzieć, więc przykucnęłam na schodkach, a potem powoli prawie się na nich położyłam. Były drewniane, twarde, ale tego w ogóle nie zauważałam. Przy drugim tempie pomyślałam, że chciałabym tak umrzeć, i zaczęłam płakać. Byłam trochę szalona. Płakałam jednak dalej, nawet kiedy już zmądrzałam.

Ja, słuchając muzyki, nie płakałem nigdy, lecz wzruszał mnie fakt, że płakała ona.

Po kilkuminutowym milczeniu Maia powiedziała:

— Ale on to prawdziwy głąb.

— Jaki on?

— Ależ Schumann — odrzekła, jak gdybym spadł z obłoków. I znowu ten jej autyzm.

— Schumann to głąb?

— Ależ tak, dużo romantycznych uczuć, w jego czasach całkiem normalnych, lecz wszystko przemyślane. Od tego intensywnego myślenia zwariował. Rozumiem dobrze jego żonę, która zakochała się potem w Brahmsie. Inny charakter, inna muzyka, na dodatek bon vivant. Uważaj jednak, nie mówię, że Robert był nic niewart, rozumiem, że miał talent, nie należał do tych wielkich fanfaronów.

— Których?

— No takich jak ten hałaśliwy Liszt albo ten nieznośny Rachmaninow, oni naprawdę tworzyli kiepską muzykę, wszystko obliczone na efekt, żeby zbijać pieniądze, koncerty dla głupków C-dur, takie rzeczy. W tym stosie nie znalazłbyś ich płyt, powyrzucałam wszystkie. Powinni byli pracować na roli.

— Więc kto jest dla ciebie lepszy od Liszta?

— No przecież Satie, czyż nie?

— Ale słuchając Satiego, nie płaczesz, prawda?

— Oczywiście, że nie, on by tego nie chciał, płaczę tylko przy drugim tempie Siódmej. — Następnie, po krótkiej przerwie: — Od wczesnej młodości płaczę także przy niektórych utworach Chopina, ale na pewno nie przy jego koncertach.

— Dlaczego nie przy koncertach?

— Bo kiedy zabierałeś mu fortepian i dawałeś orkiestrę, gubił się. Komponował muzykę fortepianową na smyczki, blachy i kotły. A zresztą czy widziałeś film z Cornelem Wilde'em, w którym Chopinowi tryska z ust kropla krwi na klawiaturę? Jako dyrygent orkiestry co by zrobił, trysnąłby krwią na pierwszego skrzypka?

Maia nie przestawała mnie zadziwiać, a sądziłem, że znam ją już dobrze. Z nią mogłem więc nauczyć się rozumieć muzykę — przynajmniej na jej sposób.

Był to ostatni szczęśliwy wieczór. Wczoraj obudziłem się późno i przybyłem do redakcji dopiero przed południem. Zaledwie wszedłem, ujrzałem ludzi w mundurach, którzy szperali w szufladach Braggadocia, i faceta w cywilu przesłuchującego

157

obecnych. Simei stał na progu swojego gabinetu, twarz miał ziemistą.

Cambria zbliżył się do mnie i jakby chciał powierzyć mi jakąś tajemnicę, powiedział cicho:

— Zamordowano Braggadocia.

— Co? Braggadocia? Jak?

— Dziś o szóstej rano wracający rowerem do domu nocny strażnik zobaczył trupa: leżał twarzą do ziemi, na plecach rana. O tej porze strażnikowi zajęło sporo czasu znalezienie otwartego baru, skąd mógł zadzwonić do szpitala i na policję. Lekarz sądowy stwierdził od razu, że był to jeden tylko cios nożem, ale zadany z wielką siłą. Noża, który wbito w plecy, nie zostawiono.

— Gdzie to się stało?

— W zaułku w pobliżu ulicy Torino, jak on się nazywa... chyba Bagnara czy Bagnera.

Podszedł do mnie facet w cywilu, przedstawiliśmy się sobie krótko. Był to inspektor policji, spytał mnie, kiedy ostatni raz widziałem Braggadocia.

— Tu w biurze, wczoraj — odpowiedziałem — chyba tak jak wszyscy moi koledzy. Zdaje mi się, że wyszedł sam trochę wcześniej od innych.

Zapytał mnie później — przypuszczam, że tak jak wszystkich — w jaki sposób spędziłem wieczór. Powiedziałem, że byłem na kolacji ze znajomą, a potem od razu poszedłem spać. Oczywiście nie miałem alibi, lecz nie miał go bodaj nikt z obecnych i inspektor nie wyglądał na zbyt zatroskanego. Było to tylko — jak mawiają w filmach kryminalnych w telewizji — rutynowe pytanie.

Inspektor chciał raczej wiedzieć, czy moim zdaniem Braggadocio miał wrogów, czy jako dziennikarz prowadził jakieś niebezpieczne dochodzenie. Absolutnie niczego mu nie zdradziłem, nie z powodu solidarności z przestępcami; po prostu zaczynałem rozumieć, że Braggadocia wykończono niewątpliwie w związku z jego śledztwem, i wydało mi się od razu, że jeśli wyjawię, iż coś o tym wiem, ktoś sobie pomyśli, że dobrze będzie wykończyć także mnie. Nie mogę rozmawiać nawet z policją — powiedziałem sobie. Czyż nie mówił mi Braggadocio, że w jego historie zamieszani są wszyscy, ze Strażą Leśną włącznie? Aż do wczoraj myślałem, że to mitoman, ale teraz śmierć czyniła go w pewnej mierze wiarygodnym.

Pociłem się, lecz inspektor nic nie zauważył, a może przypisał to nadmiarowi emocji.

— Nie wiem — powiedziałem mu — co dokładnie robił Braggadocio w ostatnich dniach, może potrafi to panu powiedzieć redaktor Simei, który przydziela artykuły. O ile sobie przypominam, zajmował się reportażem o prostytucji, nie wiem, czy ten trop może się wam przydać.

— Zobaczymy — odrzekł inspektor i zaczął przesłuchiwać Maię, która wybuchnęła płaczem.

Nie lubiła go — myślałem sobie — ale przecież został zamordowany, a trup to trup, moje ty biedactwo. Litowałem się nie nad Braggadociem, lecz nad nią, bo z pewnością dręczyły ją wyrzuty sumienia, że źle o nim mówiła.

W tym momencie Simei dał mi znak, żebym wszedł do jego gabinetu.

— Panie Colonna — powiedział, siadając za biurkiem, ręce mu się trzęsły — pan wie, czym zajmował się Braggadocio.

— Wiem i nie wiem, o czymś mi wspominał, ale nie jestem pewien, czy...

— Niech pan nie udaje głupiego, zrozumiał pan doskonale, że Braggadocia zadźgano, bo chciał pewne rzeczy wyjawić. Do tej pory nie wiem, co było w nich prawdą, a co on sobie wykombinował, nie ulega jednak wątpliwości, że jeśli jego dochodzenie dotyczyło stu spraw, to w jedną przynajmniej utrafił i dlatego go uciszono. Ale ponieważ wczoraj opowiedział swoją historię także mnie, ja też tę sprawę znam, choć nie wiem, która to jest. Zna ją również pan, bo Braggadocio powiedział mi, że się panu zwierzył. Obaj znajdujemy się zatem w niebezpieczeństwie. I dalej: przed dwiema godzinami zadzwoniono do prezesa Vimercate. Nie powiedział mi, kto dzwonił i co mu oznajmił; po tej rozmowie zdecydował jednak, że całe przedsięwzięcie „Jutro" stało się niebezpieczne również dla niego i że należy wszystko zlikwidować. Przysłał mi już czeki dla redaktorów, dostaną zaraz koperty z dwumiesięczną pensją i serdecznymi słowami pożegnania. Żadne z nich nie ma podpisanej umowy, nie mogą zaprotestować. Vimercate nie wiedział, że pan też jest w niebezpieczeństwie, lecz sądzę, że trudno byłoby panu wyjść do miasta i podjąć czek, więc go niszczę, zostały mi w kasie pieniądze, dwie pensje w gotówce włożyłem panu do koperty. Do jutra zwinie się to biuro. Co się tyczy nas obu, zapomnijmy o naszym układzie, o pańskim zadaniu, o książce, którą miałby pan napisać. „Jutro" umiera jeszcze dzisiaj. Tylko że dziennik znika, ale pan i ja nadal zbyt dużo wiemy.

— Myślę jednak, że Braggadocio rozmawiał na ten temat także z Lucidim...

— No więc pan w ogóle nic nie zrozumiał. To właśnie było jego nieszczęściem. Lucidi wywąchał, że nasz zmarły przyjaciel majstruje przy czymś niebezpiecznym, i poszedł zaraz donieść... komu? Nie wiem, ale z pewnością komuś, kto zdecydował, że Braggadocio zbyt dużo wie. Lucidiego nikt nie skrzywdzi, on stoi po przeciwnej stronie barykady, ale nas obu może tak. Powiem panu, co zrobię ja. Zaledwie wyjdzie policja, wsadzam do torby pozostałe w kasie pieniądze, lecę na dworzec i wsiadam do pierwszego pociągu do Lugano, bez bagażu. Znam tam kogoś, kto umie zmienić dane osobowe kogokolwiek: nowe nazwisko, nowy paszport, nowe miejsce zamieszkania — zobaczymy jeszcze gdzie. Zniknę, zanim mordercy Braggadocia będą mogli mnie znaleźć. Mam nadzieję, że okażę się od nich szybszy. Prezesa poprosiłem o przelanie mojej odprawy w dolarach do banku Crédit Suisse. Nie wiem, co panu doradzić, ale przede wszystkim niech pan zamknie się w domu i nie włóczy po ulicach. Później proszę się postarać na pewien czas gdzieś zniknąć, ja wybrałbym jakiś kraj Europy Wschodniej, tam stay-behind nigdy nie istniała.

— Sądzi pan, że stało się to wszystko z powodu stay--behind? Przecież to żadna tajemnica. Albo z powodu sprawy Mussoliniego? Przecież to groteskowa historia, nikt by w nią nie uwierzył.

— A Watykan? Nawet gdyby ta historia była nieprawdziwa, napisano by w gazetach, że Kościół pomógł Duce w ucieczce w czterdziestym piątym roku i że udzielał mu kryjówki przez prawie pięćdziesiąt lat. Mają tam już dość kłopotów z Sindoną, Calvim, Marcinkusem i tak dalej; zanim mogliby dowieść, że sprawa z Mussolinim to bzdura, wybuchłby skandal, pisałaby o tym cała międzynarodowa prasa. Niech pan nikomu nie ufa, zamknie się w domu przynajmniej na dzisiejszą noc, a potem postara się zniknąć. Pieniędzy starczy panu na kilka miesięcy, a jeśli pojedzie pan na przykład do Rumunii, gdzie na życie prawie nic się nie wydaje, z dwunastoma milionami w tej kopercie pomieszka pan tam sobie jak król jeszcze o wiele dłużej. Do widzenia, panie Colonna, przykro mi, że tak się to kończy, zupełnie jak w dowcipie naszej Mai o kowboju z Abilene: szkoda, przegraliśmy. Teraz proszę dać mi przygotować się do odejścia, bym mógł to zrobić, jak tylko pójdą sobie policjanci.

Chciałem zniknąć natychmiast, ale ten przeklęty inspektor przepytywał nas wszystkich dalej bez najmniejszego rezultatu, aż zrobił się wieczór.

Przeszedłem obok biurka Lucidiego, który otwierał właśnie swoją kopertę.

— Wynagrodzono pana dostatecznie? — spytałem, a on bez wątpienia zrozumiał, co mam na myśli.

Zmierzył mnie wzrokiem od stóp do głów i poprzestał na pytaniu:

— A panu co Braggadocio opowiedział?

— Wiem, że szedł jakimś tropem, ale nie chciał mi nigdy powiedzieć jakim.

— Naprawdę? — skomentował. — Biedak. Kto wie, co on tam kombinował. — I odwrócił się w drugą stronę.

Zaledwie inspektor pozwolił mi odejść, ze zwyczajowym zastrzeżeniem „proszę pozostać do naszej dyspozycji", szepnąłem Mai:

— Idź do domu i czekaj, aż się odezwę, ale chyba będę mógł zadzwonić dopiero jutro rano.

Spojrzała na mnie przerażona.

— Czy ty masz z tym coś wspólnego?

— Nie, nic, co ci przychodzi do głowy, ale jestem wzburzony, to normalne.

— No i co się w ogóle dzieje? Dostałam kopertę z czekiem i serdecznymi podziękowaniami za cenną współpracę.

— Gazetę się zamyka, później ci wytłumaczę.

— Dlaczego nie możesz wytłumaczyć mi teraz?

— Przysięgam, że jutro wszystko ci powiem, Siedź sobie spokojnie w domu. Proszę, posłuchaj mnie.

Usłuchała, patrząc pytająco, oczami wilgotnymi od łez. Ja zaś odszedłem, nic więcej nie dodawszy.

Wieczór spędziłem w domu, bez kolacji, wypiłem pół butelki whisky i rozmyślałem nad tym, co mógłbym zrobić. Byłem potem wyczerpany, łyknąłem środek nasenny i zasnąłem.

A dziś rano z kranu nie pociekła woda.

XVII

To tyle, teraz wszystko już zrekonstruowałem. Usiłuję pozbierać myśli. Kim są „oni"? Jak powiedział Simei, Braggadocio zgromadził, mając rację lub nie, dużą ilość faktów. Który z tych faktów kogoś zaniepokoił? Sprawa Mussoliniego? W tym wypadku nieczyste sumienie mogli mieć: Watykan, wspólnicy księcia Borghese z czasów zamachu stanu zajmujący jeszcze ważne stanowiska w państwie (ale po dwudziestu latach powinni już wszyscy nie żyć), tajne służby (ale jakie?). A może był to tylko jakiś podstarzały osobnik żyjący w strachu, stęskniony za przeszłością; mógł zrobić wszystko sam, zabawić się nawet grożeniem prezesowi Vimercate, jakby miał za sobą... czy ja wiem... Świętą Zjednoczoną Koronę*. Więc wariat, ale jeśli szuka ciebie, żeby cię wykończyć, jest równie niebezpieczny jak człowiek normalny, a może i bardziej. W każdym razie, czy to „oni", czy pojedynczy wariat, ktoś był nocą w moim mieszkaniu. Skoro zaś wszedł raz, mógłby wejść znowu, a zatem ja nie powinienem tu zostać. Czy jednak ten wariat albo ci „oni" są pewni, że ja naprawdę coś wiem? Czy Braggadocio powiedział coś o mnie Lucidiemu? Zdaje się, że nie albo niezupełnie, sądząc po mojej ostatniej wymianie zdań z tym szpiegiem. Czy mogę jednak uważać się za bezpiecznego? Na pewno nie. Z ucieczką do Rumunii chyba nie warto się śpieszyć, może lepiej poczekać na rozwój wypadków,

---

* Organizacja przestępcza typu mafijnego działająca zwłaszcza na terenie Apulii.

przeczytać, co powiedzą jutrzejsze gazety. Jeżeli o zabójstwie Brag-gadocia nie napiszą, będzie to znaczyć, że sprawy stoją gorzej, niż przypuszczałem, że ktoś stara się wszystko zamieść pod dywan. W każdym razie nie ulega wątpliwości, że muszę się ukryć przynaj-mniej na jakiś czas. Ale gdzie, skoro byłoby niebezpiecznie nawet wytknąć nos na zewnątrz?

Pomyślałem o Mai i o jej zaciszu nad jeziorem Orta. O moim związku z Maią chyba nikt nie wiedział, nie powinna być pod kon-trolą. Ona nie, ale mój telefon tak, więc nie mogę zadzwonić z do-mu; żeby zadzwonić, muszę wyjść.

Przypomniałem sobie, że z mojego podwórza wchodzi się przez toalety do baru na rogu. Przypomniałem sobie również, że w głębi podwórza są żelazne drzwi zamknięte od dziesięcioleci. Opowiedział mi o nich właściciel domu, wręczając klucze od mieszkania. Obok klucza od bramy na dole i klucza właściwego był jeszcze jeden, stary i zardzewiały.

— Nigdy się panu nie przyda — powiedział właściciel z uśmie-chem — ale od pięćdziesięciu lat otrzymuje go każdy lokator. Wie pan, w czasie wojny nie mieliśmy tu schronu przeciwlotniczego, a był dosyć obszerny schron w domu naprzeciwko, tym, którego okna wychodzą na ulicę Quarto dei Mille, równoległą do naszej. Zrobiono więc w głębi podwórza przejście, żeby w razie alarmu mieszkańcy mogli szybko dostać się do schronu. Drzwi pozosta-wały zamknięte, nie otwierano ich ani z jednej, ani z drugiej stro-ny, ale każdy z naszych lokatorów miał klucz, który, jak pan widzi, przez prawie pięćdziesiąt lat zdążył zardzewieć. Nie sądzę, żeby panu kiedykolwiek się przydał, choć w gruncie rzeczy te drzwi to dobra droga ucieczki na wypadek pożaru. Jeśli pan woli, proszę wrzucić klucz do szuflady i zapomnieć o nim.

Oto co miałem zrobić. Po zejściu na dół wszedłem do baru od tyłu, właściciel mnie zna, robiłem to już nieraz. Rozejrzałem się wokoło, rano nie było w barze prawie nikogo, starsza para siedzą-ca przy stoliku z dwiema filiżankami cappuccino i dwoma rogalikami nie wyglądała na tajnych agentów. Zamówiłem podwójną kawę — musiałem przecież się rozbudzić — i wszedłem do kabiny telefonicznej.

Maia odpowiedziała mi natychmiast, bardzo wzburzona. Powiedziałem, że ma nic nie mówić, tylko mnie wysłuchać.

— Uważaj więc proszę i o nic nie pytaj. Wrzuć do torby coś na przeżycie kilku dni nad jeziorem, potem weź swój samochód. Za moim domem, na ulicy Quarto dei Mille, nie wiem dobrze pod którym numerem, powinna być brama, mniej więcej na wysokości mojego domu. Może jest otwarta, bo prowadzi chyba na podwórze, gdzie mieści się jakiś skład nie wiem czego. Może da się w nią wjechać, jeśli nie, czekaj na zewnątrz. Wyregulujmy nasze zegarki, powinnaś dojechać w kwadrans, powiedzmy więc, że spotkamy się tam dokładnie za godzinę. Jeśli brama będzie zamknięta, będę czekał na zewnątrz, ale przyjedź punktualnie, bo nie chciałbym stać długo na ulicy. Proszę cię, żadnych pytań. Weź torbę, wsiądź do samochodu, oblicz dobrze czas i przyjeżdżaj. Potem wszystko ci powiem. Nikt nie powinien cię śledzić, ale na wszelki wypadek patrz w lusterko wsteczne i jeśli ci się wyda, że ktoś za tobą jedzie, puść wodze fantazji, rób nieprawdopodobne zwroty i objazdy, tak żeby cię zgubił; byłoby to trudne, dopóki jechałabyś wzdłuż kanałów, ale później miałabyś wiele sposobności, żeby nagle skręcić, mogłabyś nawet przejechać na czerwonym świetle, tamci musieliby się zatrzymać. Ufam ci, kochana.

Maia mogłaby uczestniczyć w napadzie z bronią w ręku, bo spisała się doskonale, o ustalonej godzinie wjechała już do bramy, spięta, ale zadowolona.

Wskoczyłem do samochodu, wyjaśniłem jej, gdzie ma skręcić, żeby dojechać jak najszybciej na kraniec ulicy Certosa; sama wiedziała już, jak stamtąd dotrzeć do autostrady w kierunku Novary, a zjazd z autostrady do jeziora Orta znała lepiej ode mnie.

W samochodzie przez cały czas nic prawie nie mówiłem. Po przyjeździe ostrzegłem ją, że wiedza o tym, co mógłbym jej opowiedzieć, oznacza dla niej ryzyko. Czy wolała zaufać mi i o nic nie pytać?

— Skądże, nigdy w życiu! — odparła. — Wybacz, nie wiem jeszcze, kogo lub czego się boisz, ale albo nikt nie wie, że tu razem jesteśmy, i wtedy nie ryzykuję wcale, albo dowiedzą się o tym i będą przekonani, że już wszystko wiem. Wyrzuć więc to z siebie, bo inaczej jak mam myśleć tak samo jak ty?

Nieustraszona. Musiałem wszystko jej opowiedzieć, w gruncie rzeczy była już ciałem z mego ciała, jak czytamy w Księdze Rodzaju.

XVIII

CZWARTEK, 11 CZERWCA

W ostatnich dniach zabarykadowałem się w domu, bałem się wyjść.

— Daj spokój — mówiła mi Maia — nikt cię tu nie zna, a ci, których się obawiasz, nie wiedzą, że tu jesteś…

— Nie szkodzi — odpowiadałem — nigdy nie wiadomo.

Maia zaczęła mnie leczyć jak chorego, podawała mi środki uspokajające, głaskała po karku, kiedy siedziałem przy oknie, patrząc na jezioro.

W niedzielę rano poszła od razu kupić gazety. O zabójstwie Braggadocia wspomniano w kronice, nie przypisując mu szczególnego znaczenia: zamordowano dziennikarza, prowadził być może śledztwo w środowisku prostytutek i ukarał go jakiś sutener.

Wydawało się, że przyjęto tę tezę na podstawie mojej wypowiedzi lub pewnych wskazówek Simeiego. Bez wątpienia nie troszczono się już o nas, redaktorów, i nie uświadomiono sobie nawet, że my obaj — ja i Simei — zniknęliśmy. Zresztą jeżeli policja wróciła do naszego biura, zastała je puste, a ten inspektor nie spisał nawet naszych adresów. Piękny z niego Maigret! Nie sądzę jednak, żeby się o nas martwił. Ślad wiodący do prostytutek był bardzo wygodny, prosta rutyna. Oczywiście Costanza mógłby powiedzieć, że tymi paniami on się zajmował, lecz prawdopodobnie był również przekonany, iż śmierć Braggadocia miała z tym środowiskiem coś wspólnego, i zaczął się obawiać o samego siebie. Milczał więc jak ryba.

Następnego dnia Braggadocio zniknął nawet z kronik. Podobnych przypadków policja musiała mieć zbyt wiele, zamordowany był tylko trzeciorzędnym reporterem. *Round up the usual suspects*, zgarnąć tych, których zazwyczaj się podejrzewa, i tyle.

O zmierzchu spoglądałem posępnie na ciemniejące posępnie jezioro. Wyspa San Giulio, tak promienna w świetle słońca, wynurzała się z wód jak wyspa umarłych Böcklina.

Maia postanowiła mnie rozbudzić i zaprowadziła na Sacro Monte, Świętą Górę. Nie znałem jej. Po zboczu pną się rzędem kapliczki, które mieszczą w sobie mistyczne dioramy przedstawiające wielobarwne figury naturalnej wielkości, uśmiechnięte anioły, głównie zaś sceny z życia świętego Franciszka. Niestety, w matce obejmującej czule zbolałe dziecko widziałem ofiary jakiegoś odległego w czasie zamachu, w uroczystym zgromadzeniu z udziałem papieża, kilku kardynałów i ponurych kapucynów dopatrywałem się narady w watykańskim banku, podczas której planowano, w jaki sposób zostanę ujęty. Te barwne i pobożne wyobrażenia z terakoty nie wystarczały, aby skłonić mnie do rozmyślań o Królestwie Niebieskim. Wszystko wydawało się perfidnie zamaskowaną alegorią piekielnych, knujących w ciemnościach mocy. Majaczyło mi się nawet, że nocą te figury zamieniają się w szkielety (czymże jest w gruncie rzeczy różowe ciało anioła, jeśli nie fałszywą powłoką kryjącą szkielet, tyle że niebiański?) i uczestniczą w tańcu śmierci w kościele Świętego Bernardyna od Kości.

Naprawdę nie sądziłem, że jestem tak bojaźliwy, i wstydziłem się pokazywać w tym stanie Mai (no proszę — mówiłem sobie — teraz i ona mnie rzuci), miałem jednak ciągle przed oczami obraz Braggadocia leżącego na brzuchu w zaułku Bagnera.

Chwilami karmiłem się nadzieją, że za sprawą jakiejś szczeliny w czasoprzestrzeni (według określenia Vonneguta: infundybuły chronosynklastycznej, lejka czasoprzestrzennego) na uliczce Bagnera zmaterializował się nocą Boggia, morderca sprzed stu lat, i załatwił intruza. To jednak nie tłumaczyło telefonu do prezesa Vimercate, argumentu, którym posługiwałem się też w rozmowach z Maią, gdy mi sugerowała, że może chodziło o całkiem pospolite przestępstwo. Widać było przecież od razu, że Braggadocio — niech spoczywa w spokoju — był świntuchem, może próbował wykorzystać jedną z wiadomych pań i stąd zemsta jej sutenera, zwyczajna sprawa z tych, o których mówią de minimis non curat praetor, sędzia nie zajmuje się drobiazgami.

— Tak — powtarzałem — ale sutener nie dzwoni do wydawcy i nie skłania go do zamknięcia gazety!

— Ale kto ci powiedział, że Vimercate rzeczywiście taki telefon odebrał? Może pożałował, że wplątał się w to przedsięwzięcie, które zbyt wiele go kosztowało, i zaledwie dowiedział się o śmierci jednego z redaktorów, skorzystał z okazji, żeby zlikwidować „Jutro", płacąc pensje za dwa miesiące zamiast za rok… Albo: oświadczyłeś mi, że on potrzebował „Jutra" po to, żeby ktoś mu powiedział: „Przestań, przyjmę cię na salony". Można więc przypuścić, że facet taki jak Lucidi doniósł tym w górze, na salonach, że „Jutro" ma opublikować wyniki kłopotliwego dla nich dochodzenia; oni dzwonią wtedy do Vimercatego i mówią mu: „Dobrze, skończ z tym piśmidłem, a przyjmiemy cię do klubu". Potem ktoś… może taki wariat, o jakim myślałeś… morduje Braggadocia niezależnie od całej tej sprawy. No i problem telefonu do prezesa masz rozwiązany.

— Nie rozwiązałem jednak problemu wariata. No i kto właściwie wszedł w nocy do mojego mieszkania?

— To historia, którą ty mi opowiedziałeś. Czy możesz być pewny, że ktoś w ogóle wszedł?

— A kto zamknął dopływ wody?

— Posłuchaj mnie chwilę. Przychodzi do ciebie sprzątaczka?

— Tylko raz w tygodniu.

— No a kiedy przyszła ostatni raz?

— Przychodzi zawsze w piątek po południu. À propos, to był dzień, kiedy dowiedzieliśmy się o Braggadociu.

— A zatem? Czy nie mogła zamknąć dopływu, bo przeszkadzało jej kapanie z prysznica?

— Ale ja w ten piątek wieczorem wypiłem szklankę wody ze środkiem nasennym...

— Wypiłeś pół szklanki, wystarczyło ci. Nawet przy zamkniętym dopływie zawsze coś w rurze zostaje i nie uświadomiłeś sobie, że to ostatnie krople z twojego kranu. Piłeś więcej wody tego wieczoru?

— Nie, nawet nic nie zjadłem, wyżłopałem tylko pół butelki whisky.

— Widzisz? Nie mówię, że jesteś paranoikiem, ale przejęty zamordowaniem Braggadocia i tym, co ci powiedział Simei, pomyślałeś od razu, że ktoś wszedł do ciebie w nocy. A w rzeczywistości to była sprzątaczka, na dodatek po południu.

— Ale Braggadocia naprawdę zamordowano!

— Przekonaliśmy się już, że mogłaby to być całkiem inna sprawa. Jest więc możliwe, że nikt się tobą nie zajmuje.

Przez ostatnie cztery dni zastanawialiśmy się, konstruując i odrzucając hipotezy. Ja stawałem się coraz bardziej ponury, wciąż uczynna Maia krążyła bez ustanku między domem a wsią, dostarczając mi świeży prowiant i butelki whisky; zdążyłem opróżnić trzy. Dwa razy się kochaliśmy, ale ja robiłem to ze złością, jakbym chciał się wyładować, i nie doznając przyjemności. A przecież czułem coraz większą miłość do tego stworzenia, które z potrzebującej opieki ptaszyny zamieniło się w wierną wilczycę gotową kąsać każdego, kto chciałby mnie skrzywdzić.

Aż nadszedł wieczór, kiedy włączyliśmy telewizor i prawie przypadkiem trafiliśmy na program Corrada Augiasa* poświęcony angielskiemu filmowi *Operation Gladio*, który BBC emitowała dzień wcześniej.

Patrzyliśmy jak urzeczeni, nie odzywając się w ogóle.

Wydawało się, że scenariusz do filmu napisał Braggadocio, było tam wszystko, co sobie wymyślił, i jeszcze więcej, ale słowom towarzyszyły obrazy i dokumenty, komentowały także sławne osobistości. Punkt wyjściowy stanowiły przewinienia belgijskiej stay-behind, potem wyjawiano, że o istnieniu Gladio dowiadywali się premierzy, ale tylko ci, do których CIA miała zaufanie, na przykład Moro i Fanfani nie wiedzieli nic. Wyświetlano też zajmujące cały ekran oświadczenia wielkich szpiegów w rodzaju: „Oszustwo to stan umysłu, a zarazem umysł państwa". W czasie całego programu (dwie i pół godziny) pokazywał się sypiący rewelacjami Vinciguerra, który powiedział nawet, że jeszcze przed zakończeniem wojny Borghese i jego ludzie z Dziesiątej Flotylli podpisali na zlecenie tajnych służb aliantów zobowiązanie, iż w przyszłości będą z nimi współpracować w walce z sowieckim najazdem. Różni świadkowie zapewniali przy tym szczerze zgodnym chórem, że do operacji Gladio można było rekrutować tylko eksfaszystów. Zresztą wiadomo było, że w Niemczech tajne służby amerykańskie gwarantują bezkarność nawet takim katom jak Klaus Barbie.

Wielokrotnie występował Licio Gelli, oświadczając rzetelnie, że był współpracownikiem tajnych służb aliantów. Jednocześnie Vinciguerra nazywał go dobrym faszystą, a Gelli opowiadał o swoich dokonaniach, kontaktach i źródłach informacji, nie przejmując się zupełnie tym, że bez trudu można było zrozumieć, iż zawsze prowadził podwójną grę.

---

* Włoski prezenter telewizyjny, dziennikarz i polityk.

Cossiga opowiedział, że w tysiąc dziewięćset czterdziestym ósmym roku wyposażono go jako młodego aktywistę katolickiego w sten i granaty, aby mógł działać, w razie gdyby Partia Komunistyczna nie uznała wyników wyborów. Następnie pojawił się znowu Vinciguerra, zaznaczając spokojnie, że cała skrajna prawica hołdowała wówczas strategii napięcia, aby przygotować psychicznie społeczeństwo do akceptacji stanu wyjątkowego, który zamierzano ogłosić; podkreślał przy tym, że Nowy Porządek i Awangarda Narodowa współpracowały z wysokimi urzędnikami z różnych ministerstw. Senatorzy prowadzący dochodzenie parlamentarne oświadczali bez ogródek, że po każdym zamachu tajne służby i policja gmatwały sprawę, aby paraliżować działalność sądów. Vinciguerra wyjaśniał dalej, że za zamachem na placu Fontana nie stali tylko dwaj neofaszyści uznani przez wszystkich za sprawców, Freda i Ventura, lecz ponad nimi całą akcją kierował dział spraw poufnych Ministerstwa Spraw Wewnętrznych. Rozwodził się następnie nad sposobami, dzięki którym Nowy Porządek i Awangarda Narodowa przenikały do ugrupowań lewicowych, aby nakłonić je do zamachów terrorystycznych. Pułkownik Oswald Lee Winter, człowiek CIA, utrzymywał, że w Czerwonych Brygadach nie dość, że było mnóstwo wtyczek, to jeszcze członkom organizacji miał rozkazywać generał Santovito z SISMI, wojskowej służby informacyjnej.

W kolejnym, przerażającym wywiadzie Franceschini, jeden z założycieli Czerwonych Brygad, schwytany już na początku, sam sobie, skonsternowany, zadawał pytanie, czy przypadkiem, działając w dobrej wierze, nie dał się komuś skierować ku innym celom. Potem wracał na scenę Vinciguerra, twierdząc, że Awangardzie Narodowej zlecono rozpowszechnianie maoistowskich ulotek, żeby straszyć ludzi perspektywą akcji terrorystycznych ze strony sympatyków Chin.

Jeden z komendantów Gladio, generał Inzerilli, oświadczył bez wahania, że składy broni znajdowały się w koszarach karabinierów i że „gladiatorzy" mogli tam chodzić i pobierać to, czego potrzebowali, okazując (zupełnie jak w powieści w odcinkach) połowę tysiąclirowego banknotu jako znak rozpoznawczy. Na koniec mówiono oczywiście o sprawie Moro i o tym, że na ulicy Fani widziano krążących w porze porwania agentów tajnych służb, z których jeden się tłumaczył, że jest tam, bo znajomy zaprosił go na obiad, choć trudno było zrozumieć, dlaczego szedł na to spotkanie już o dziewiątej rano.

Były szef CIA Colby oczywiście wszystkiemu zaprzeczał, ale inni amerykańscy agenci, nie kryjąc twarzy, opowiadali o dokumentach, na których figurowały nawet podane z wielką dokładnością pensje wypłacane przez organizację osobom zamieszanym w zamachy — na przykład pięć tysięcy dolarów miesięcznie dla generała Micelego.

Komentarz do programu brzmiał: są to może jedynie poszlaki, na ich podstawie nie można nikogo skazać, lecz wystarczają, aby zaniepokoić opinię publiczną.

Byliśmy z Maią oszołomieni. Te rewelacje przewyższały wszelkie najbardziej wybujałe rojenia Braggadocia.

— Oczywiście — powiedziała Maia — on sam ci przypomniał, że te wszystkie wiadomości od dawna były w obiegu, tyle że wykreślono je z pamięci zbiorowej; wystarczało pójść do archiwum, poszperać w zbiorach czasopism i złożyć razem kostki mozaiki. Ja sama nie tylko jako studentka, ale i wtedy, gdy zajmowałam się czułymi przyjaźniami, czytywałam gazety, co sobie myślisz, ja też słyszałam o tych rzeczach, ale ja również o nich zapominałam, jakby kolejna rewelacja wykreślała poprzednie. Dość było wszystko wydobyć na światło dzienne, zrobił to Braggadocio i zrobiła BBC. Wymieszaj i dostaniesz dwa doskonałe koktajle, nie wiadomo, który jest bardziej autentyczny.

— Tak, ale Braggadocio dodał niewątpliwie coś własnego, jak historię o Mussolinim czy zabójstwo papieża Lucianiego.

173

— Zgoda, on był mitomanem i wszędzie widział spiski, ale isto-
ta zagadnienia pozostaje ta sama.

— Boże mój najświętszy — powiedziałem — czy uświadamiasz
sobie, że kilka dni temu ktoś zabił Braggadocia z obawy, iż te informacje wypłyną na powierzchnię, a teraz, po tym programie,
dowiadują się o nich miliony osób?

— Kochany — powiedziała Maia — w tym właśnie twoje szczęście. Załóżmy, że ktoś... owi nieuchwytni „oni" albo odosobniony
wariat... rzeczywiście się obawiał, że ludzie sobie o tych rzeczach
przypomną albo że wyjdzie na jaw jakiś fakt drobniejszy, który
umknął nawet nam podczas oglądania programu, a który mógłby
jeszcze narobić kłopotu pewnej grupie osób albo pewnej konkret-
nej osobistości... No więc teraz ani „oni", ani wariat nie są już
zainteresowani pozbyciem się ciebie bądź Simeiego. Gdybyście
obaj poszli jutro do gazet wypaplać historie opowiedziane wam
przez Braggadocia, popatrzono by na was jak na postrzeleńców
powtarzających to, co zobaczyli w telewizji.

— Może jednak ktoś się obawia, że powiemy o tym, co BBC
przemilczała: o Mussolinim, o Lucianim.

— No dobrze, wyobraźmy sobie, że pójdziesz opowiedzieć historię o Mussolinim. Była już dość mało prawdopodobna w formie, w jakiej przedstawił ją Braggadocio: żadnego dowodu, same
niesamowite domysły. Powiedzą ci, że jesteś narwany, że podnie-
cił cię program BBC i że teraz dajesz upust swoim osobistym roje-
niom. Więcej: „oni" byliby z tego zadowoleni. Widzicie, powiedzieliby, teraz każdy kombinator wymyśli coś nowego. Mnożenie
się podobnych rewelacji wywoła podejrzenia, że także informacje
podane przez BBC są wynikiem dziennikarskich spekulacji albo
wręcz zaburzeń psychicznych, podobnie jak majaczenia osób,
które utrzymują, że Amerykanie nie wylądowali na Księżycu lub
że Pentagon usiłuje ukryć przed nami istnienie UFO. Po tym programie każda inna rewelacja stałaby się całkiem zbędna i śmieszna,
wiadomo ci przecież, że... jak to było w tej francuskiej książce?...

la réalité dépasse la fiction, rzeczywistość przerasta fikcję, albo jeszcze lepiej, no i teraz nikt nie mógłby niczego więcej wymyślić.

— Mówisz mi więc, że jestem wolny.

— Naturalnie, kto powiedział „prawda was wyzwoli"? Ta prawda sprawi, że każda inna rewelacja wyda się kłamstwem. W gruncie rzeczy BBC wyświadczyła ogromną przysługę „im". Od jutra mógłbyś rozpowiadać, że papież zarzyna dzieci i je zjada, że Matka Teresa z Kalkuty podłożyła bombę w pociągu Italicus, a ludzie powiedzieliby: „Naprawdę? To ciekawe", po czym odwróciliby się i dalej zajmowali swoimi sprawami. Dałabym głowę, że jutro w gazetach nie będzie wzmianki o dzisiejszej audycji. W tym kraju już nic nie może nas zaniepokoić. Przecież mieliśmy najazdy barbarzyńców, złupienie Rzymu*, masakrę w Senigallii**, sześćset tysięcy ofiar pierwszej wojny i piekło drugiej; co znaczy te kilkaset osób, które wysadzono w powietrze w ciągu czterdziestu lat? A że tajne służby zeszły z prostej drogi? To śmieszne w porównaniu z wyczynami Borgiów. Byliśmy zawsze narodem kochającym sztylety i truciznę. Jesteśmy uodpornieni. Jakąkolwiek nową historię by nam opowiedziano, oznajmimy zawsze, że słyszeliśmy już gorsze, a może zresztą zarówno ta nowa, jak i te stare są fałszywe. Skoro okłamywały nas Stany Zjednoczone, tajne służby połowy Europy, własny rząd i gazety, dlaczego nie miałaby kłamać także BBC? Dobry obywatel ma tylko jeden poważny problem: jak nie płacić podatków. Poza tym rządzący niech robią, co chcą, zawsze przecież chodzi o dorwanie się do koryta. Amen. Widzisz, wystarczyły dwa miesiące z Simeim i ja też zrobiłam się szczwana.

— Więc co teraz zamierzamy?

— Przede wszystkim musisz odzyskać spokój. Ja jutro po prostu pójdę zrealizować czek Prezesa, a ty podjąć to, co masz w banku, jeśli w ogóle coś masz...

---

* Dokonane przez wojska cesarskie w 1527 roku słynne *sacco di Roma*.
** Przeprowadzoną na rozkaz Cezara Borgii.

— Od kwietnia oszczędzałem, mam więc równowartość prawie dwóch pensji, około dziesięciu milionów, plus dwanaście, które dał mi kilka dni temu Simei. Jestem bogaty.

— Cud prawdziwy, ja też trochę zaoszczędziłam, bierzemy wszystko i uciekamy.

— Uciekamy? Czy nie mówiliśmy, że teraz nie mamy już czego się bać?

— Tak, ale czy miałbyś ochotę mieszkać w kraju, gdzie nadal wszystko będzie szło tak jak dotychczas, gdzie zajmując miejsce w pizzerii, będziesz się musiał obawiać, że obok ciebie siedzi szpieg z tajnych służb albo ktoś, kto zaraz zabije jakiegoś nowego Falcone, może nawet rzucając bombę w chwili, kiedy ty będziesz tamtędy przechodził?

— Ale dokąd pojedziemy? Przecież widziałaś i słyszałaś, że to samo działo się w całej Europie, od Szwecji po Portugalię. Chcesz uciec do Turcji pomiędzy Szare Wilki albo, jeśli ci na to pozwolą, do Ameryki, gdzie mordują prezydentów, a w CIA ma może swoje wtyczki mafia? Świat to koszmar, kochana, ja chciałbym wysiąść, lecz powiedziano mi, że nie można, że jedziemy pośpiesznym, który nie zatrzymuje się przed stacją końcową.

— Skarbie, poszukamy kraju, gdzie nie ma tajemnic, gdzie wszystko odbywa się w świetle słońca. Jest ich wiele w Ameryce Środkowej i Południowej. Niczego się tam nie ukrywa, wiadomo, kto należy do kartelu narkotykowego, kto dowodzi oddziałami rewolucjonistów. Siadasz w restauracji, zjawia się grupka przyjaciół i przedstawia ci kogoś jako bossa przemytników broni; ładnie wygląda, jest ogolony i wyperfumowany, nosi wykrochmaloną białą koszulę opadającą luźno na spodnie, kelnerzy koło niego się krzątają, *señor*, proszę tu, *señor*, proszę tam, potem nadchodzi komendant policji i składa mu wyrazy szacunku. To kraje bez tajemnic, wszystko dzieje się jawnie, policja twierdzi, że jest skorumpowana zgodnie z regulaminem, rząd współdziała ze światem przestępczym w myśl konstytucji, banki

176

utrzymują się z prania brudnych pieniędzy i biada ci, jeśli zechcesz dokonać wpłaty niepochodzącej z podejrzanych źródeł, cofną ci zaraz pozwolenie na pobyt; mordują się, ale tylko między sobą, turystów zostawiają w spokoju. Moglibyśmy znaleźć pracę w jakiejś gazecie albo w wydawnictwie, mam tam znajomych w redakcjach pism poświęconych czułym przyjaźniom. Teraz myślę, że to piękna i uczciwa działalność: opowiadasz głupstwa, ale wszyscy to wiedzą i mają rozrywkę, a ci, których sekrety wyjawiłeś, wyjawili je już sami dzień wcześniej w telewizji. Hiszpańskiego można nauczyć się przez tydzień i oto znaleźliśmy naszą wyspę mórz południowych, mój ty Tusitala.

Sam nigdy nie umiem zacząć rozgrywki, ale jeśli ktoś poda mi piłkę, czasami zdołam strzelić gola. Chodzi o to, że Maia jest jeszcze naiwna, a ja w moim wieku zmądrzałem. No i jeśli wiesz, że jesteś przegrany, jedyną pociechą jest myśleć, że wokół ciebie przegrani są wszyscy, także ci, którzy nimi nie są.

Tak więc potrafiłem znaleźć replikę na słowa Mai.

— Kochanie, nie bierzesz pod uwagę, że stopniowo także Włochy upodobniają się do krajów twoich marzeń, dokąd chciałabyś udać się na wygnanie. Jeśli zdołaliśmy najpierw zaakceptować, a potem zapomnieć te wszystkie rzeczy, o których opowiedziała nam BBC, to znaczy, że przywykamy do utraty poczucia wstydu. Czy nie widziałaś, że wszyscy wypowiadający się w dzisiejszym filmie mówili spokojnie, iż zrobili to i tamto, i zachowywali się tak, jakby czekali na medal? Żadnych barokowych światłocieni, to sprawy kontrreformacji, machinacje jawią się *en plein air*, jakby malowali je impresjoniści: korupcja dozwolona, mafioso oficjalnie w parlamencie, oszust podatkowy w rządzie, a w więzieniu tylko albańscy złodzieje kur. Porządni ludzie będą nadal głosować na szubrawców, bo nie uwierzą BBC albo nie obejrzą takich programów jak ten dzisiejszy, ponieważ będą się gapić na jakiś trash, może wczesnym wieczorem stacje prezesa

177

Vimercate nadadzą telewizyjne wyprzedaże, może zostanie zamordowany ktoś ważny i pokażą relację z oficjalnego pogrzebu. My wycofujemy się z gry. Ja wracam do tłumaczenia z niemieckiego, ty do swojego pisma z salonów fryzjerskich i poczekalni u dentysty. Co do reszty, ładny film wieczorem, weekendy tu, nad jeziorem Orta, i do diabła z innymi. Wystarczy tylko poczekać: kiedy nasz kraj wejdzie definitywnie w skład Trzeciego Świata, będzie w nim można całkiem dobrze żyć, jakby wszystko było Copacabaną, gdzie kobieta królową, kobieta jest panią.

Otóż Maia przywróciła mi spokój, wiarę w siebie lub przynajmniej spokojną niewiarę w otaczający mnie świat. Jutro (jak mówiła Scarlett O'Hara, znowu reminiscencja, wiem, ale zrezygnowałem z wypowiadania się w pierwszej osobie i dopuszczam do głosu wyłącznie innych) też będzie dzień.
Wyspa San Giulio znowu rozbłyśnie w słońcu.

SPIS TREŚCI

Nakładem Oficyny Literackiej Noir sur Blanc ukazały się
następujące dzieła Umberta Eco:

BAUDOLINO
2001

WAHADŁO FOUCAULTA
2002, 2005, 2007, 2015

WYSPA DNIA POPRZEDNIEGO
2003, 2007

IMIĘ RÓŻY
2004, 2006, 2009, 2011, 2012

TAJEMNICZY PŁOMIEŃ KRÓLOWEJ LOANY
2005, 2006

CMENTARZ W PRADZE
2011

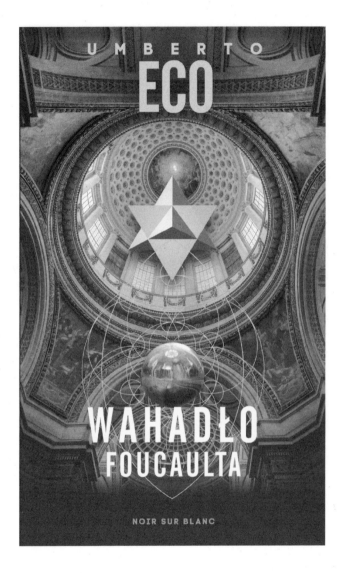

UMBERTO
ECO

WAHADŁO
FOUCAULTA

NOIR SUR BLANC

UMBERTO ECO
WYSPA DNIA
POPRZEDNIEGO

Noir sur Blanc

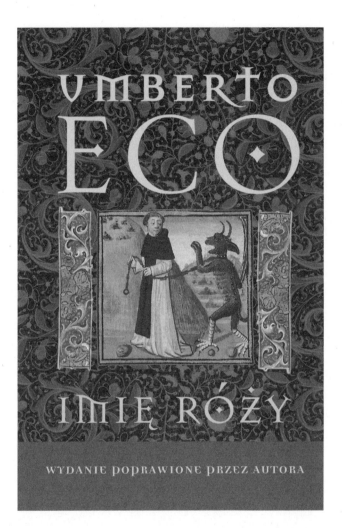

UMBERTO ECO

IMIĘ RÓŻY

WYDANIE POPRAWIONE PRZEZ AUTORA

UMBERTO ECO
TAJEMNICZY PŁOMIEŃ KRÓLOWEJ LOANY

NOIR SUR BLANC

UMBERTO
ECO

CMENTARZ W PRADZE

NOIR SUR BLANC